Cahier d'exercices

练习册

Reflets

走遍法国

（法）Guy Capelle / Noëlle Gidon 著

吴云凤 胡 瑜 编译

1下

外语教学与研究出版社

北京

京权图字：01-2005-5784

© Hachette Livre, Paris, 1999
法国阿歇特图书出版集团(Hachette Livre)独家授权外语教学与研究出版社出版

图书在版编目(CIP)数据

走遍法国练习册. 1. 下 ／（法）卡佩勒（Capelle, G.），（法）吉东（Gidon, N.）著；吴云凤，胡瑜
编译. — 北京：外语教学与研究出版社，2006.8（2016.8 重印）
ISBN 978-7-5600-5868-9

Ⅰ. 走… Ⅱ. ①卡… ②吉… ③吴… ④胡… Ⅲ. 法语—习题 Ⅳ. H329.6

中国版本图书馆 CIP 数据核字 (2007) 第 017688 号

出 版 人：蔡剑峰
责任编辑：李　莉
封面设计：高　鹏
版式设计：牛茜茜
出版发行：外语教学与研究出版社
社　　址：北京市西三环北路 19 号 (100089)
网　　址：http://www.fltrp.com
印　　刷：北京京科印刷有限公司
开　　本：889×1194　1/16
印　　张：6　　活页：1
版　　次：2006 年 8 月第 1 版　2016 年 8 月第 14 次印刷
书　　号：ISBN 978-7-5600-5868-9
定　　价：14.90 元
＊　　＊　　＊
购书咨询：(010)88819926　　电子邮箱：club@fltrp.com
外研书店：http://waiyants.tmall.com
凡印刷、装订质量问题，请联系我社印制部
联系电话：(010)61207896　　电子邮箱：zhijian@fltrp.com
凡侵权、盗版书籍线索，请联系我社法律事务部
举报电话：(010)88817519　　电子邮箱：banquan@fltrp.com
法律顾问：立方律师事务所　刘旭东律师
　　　　　中咨律师事务所　殷　斌律师
物料号：158680101

出版说明

《走遍法国》(*Reflets*) 系我社从法国阿歇特图书出版集团 (*Hachette Livre*) 引进的一套以视听内容为基础的法语教材。该套教材的每个水平等级分册都由学生用书、教师用书和练习册组成。为了满足不同类型的学习者的需求，我们特请北京第二外国语大学的吴云凤和胡瑜老师对这套教材进行了改编。

该练习册为《走遍法国》学生用书（1下）的配套用书，主要用于强化和复习所学知识，包括词汇、语法和写作等习题类型。学习者可以在做练习前阅读学生用书的语法讲解，或在做练习时查阅学生用书书末的语法概要和动词变位表。

该书在原书的基础上作了适当调整，主要包括：

✓ 编译者增加了若干练习，丰富了习题的内容，并保持了与原有习题的连贯性；

✓ 提供学生用书中"文化点滴"的中文翻译；

✓ 根据学习进度，将原书两个复习课的内容调整为三个部分，并将其分别置于第8、第10和第12单元的后面；

✓ 习题的参考答案设计成活页形式，方便学习者查对。

原书中有一些非常好的学习建议，我们做了整理并翻译成中文，供学习者参考。

> *Observez bien les gestes et les comportements des personnages. Essayez de reproduire les intonations et les gestes.*
> 仔细观察剧中人物的行为举止。尝试模仿他们的语调和动作。

> *Enregistrez-vous et écoutez-vous prononcer. Comparez avec les enregistrements de la méthode. Travaillez vos intonations.*
> 给自己录音，听自己的发音，并与教材的录音相比较。练习你的语调。

> *Quand vous apprenez un mot, essayez de trouver le nom ou le verbe correspondant. Apprenez les mots par familles. Essayez de mémoriser les mots dans les phrases.*
> 当你学习一个单词时，试着找出与之对应的名词或动词。以族群为单位学习单词。试着在句子中记忆单词。

Revoyez fréquemment les phrases illustrant les règles de grammaire. Cherchez bien les causes de vos erreurs : l'inattention, la connaissance insuffisante des règles, la manque de pratique, l'influence de votre langue maternelle...

经常参考体现语法规则的例句。找到出错的原因：疏忽，对规则不熟悉，缺少练习，受母语的影响……

Améliorez vos techniques de révision. Par exemple, regroupez les formes de grammaire en tableaux afin de construire votre propre système.

提高复习技巧，比如把各种语法形态组合成表格以构建自己的语法体系。

Avant d'aborder un texte ou un dialogue, essayez de définir la situation de communication.

在学习一篇文章或一段对话之前，试着确定语言交际的环境。

Pour aborder la lecture d'un texte : examinez le titre et les illustrations s'il y en a ; lisez rapidement le début et la fin ; parcourez rapidement le texte pour vous faire une idée du contenu.

阅读文章时，首先要审视题目；如果有图片，还要注意图片的内容；快速阅读开头和结尾；快速浏览文章，了解大致内容。

Pour lire un texte : essayez de repérer les mots les plus chargés de sens. Cherchez la phrase la plus significative de chaque paragraphe. Lisez le texte plusieurs fois en cherchant quatre ou cinq mots inconnus chaque fois.

阅读文章时，试着找出词义最丰富的单词，及每段中代表性的句子。反复阅读文章，每次找出四五个生词。

Écoutez des chansons en français.

听法语歌曲。

Essayez de parler à des francophones.

试着同说法语的人交谈。

外语教学与研究出版社
综合语种事业部 法语工作室
2006年7月

TABLE DES MATIÈRES
目　录

LE CLIENT EST ROI !

Vocabulaire

1. Les métiers de la table.

1) Trouvez le nom de la profession correspondant au nom du magasin.

a ▪ épicerie → ....   **e** ▪ pâtisserie → ....

b ▪ boucherie → ....   **f** ▪ fromagerie → ....

c ▪ poissonnerie → ....   **g** ▪ fruiterie → ....

d ▪ boulangerie → ....

2) Quel est le genre de ces noms de magasins ? ....
Qu'est-ce qui vous permet de le savoir ? ....

3) Quel est le féminin de ces noms de profession ? ....

2. Classez les plats.

Classez les plats suivants dans le tableau.

camembert – entrecôte – riz – salade aux noix – frites – poulet basquaise – salade de saumon –

salade de tomates – pâtes – glace – pommes de terre sautées – tarte au citron –

œufs mayonnaise – yaourt – steak – gâteau au chocolat

Entrée	Plat principal	Légume	Fromage	Dessert

3. Mots croisés.

Lisez les définitions et remplissez la grille.

1) ▪ Il prépare les plats.

2) ▪ Il accompagne la viande.

3) ▪ Morceau de viande de bœuf.

4) ▪ On le donne au serveur à la fin du repas.

5) ▪ Sert à choisir les plats.

6) ▪ Il sert à table.

7) ▪ On le choisit dans le menu.

8) ▪ Sorte de fromage.

9) ▪ Les Français en mangent beaucoup.

10) ▪ Elle peut être plate ou gazeuse.

11) ▪ On en prend à la fin du repas.

4. Où allez-vous ?

Exemple : Pour acheter des gâteaux, **je vais chez le pâtissier. Je vais dans une pâtisserie.**

1) ▪ Pour acheter du pain, ...

2) ▪ Pour acheter de la viande, ...

3) ▪ Pour acheter des légumes et des fruits, ...

4) ▪ Pour acheter du poisson, ...

5) ▪ Pour acheter du fromage, ...

Grammaire

5. Un autre, d'autres.

Exemples : – Vous n'avez pas fini votre bouteille ? ⇨ **– Si, et nous en prenons une autre.**

– Vous n'avez pas terminé vos fruits ? ⇨ **– Si, et nous en voulons d'autres.**

1) ▪ – Vous n'avez pas terminé votre plat de viande ? – ....

2) ▪ – Vous n'avez pas mangé vos légumes ? – ....

3) ▪ – Vous n'aimez pas ce fromage ? – ....

4) ▪ – Vous n'avez pas fini vos desserts ? – ....

5) ▪ – Vous n'avez pas bu votre café ? – ....

6) ▪ – Vous n'avez pas fait vos exercices ? – ....

7) ▪ – Vous n'avez pas lu ces romans ? – ....

8) ▪ – Vous n'aimez pas cette entrecôte ? – ....

9) ▪ – Vous n'avez pas pris ces plats ? – ....

10) ▪ – Vous n'aimez pas ce travail ? – Non, ...

6. Articles.

Complétez avec des articles.
Texte 1

Le matin, au petit déjeuner, ma femme boit .... thé. Moi, j'aime ....
café au lait. Elle prend .... croissants. Moi, je prends .... pain avec
.... beurre. Au déjeuner, c'est la même chose. Elle n'aime pas .... poisson
et elle prend toujours .... la viande. Moi, je prends surtout .... poisson et
.... œufs. Elle adore tous .... desserts. Moi, je ne mange que
.... fruits. Elle ne boit que .... l'eau et moi que .... cidre.
Le soir, par contre, nous mangeons la même chose, un repas léger : un peu ....
soupe, un ou deux morceaux .... fromage, ... fruit, c'est tout.

Texte 2

Bernard travaille dans .... agence de voyage. .... matin, il va ....
travail en métro. Il n'a pas .... temps de prendre .... petit déjeuner. Il prend
alors .... chocolat, ... lait ou .... café à dix heures dans ....
bureau. À midi, il n'a pas beaucoup de temps non plus. Il mange seulement ....
sandwich avec .... café. Le dîner est donc pour lui .... repas très important. Il
mange beaucoup : .... viande avec .... frites, ... fromage et
.... gâteaux. Il boit .... bière ou .... vin.

7. Trouvez la question.

*Utilisez **vouloir, prendre, offrir** ou **servir** dans la question.*
Exemple : – Non, merci, je n'aime pas le poisson. ⇨ **– Je vous sers du poisson ?**

1) – .... ?
– Non, je ne prendrai pas de viande. Je vais manger des pâtes.

2) – .... ?
– Oui, j'en prendrai avec plaisir.

3) – .... ?
– Non, merci, je ne bois jamais de vin.

4) – .... ?
– Si tu veux, mais je préfère le fromage de chèvre.

5) – .... ?
– Non, je voudrais une entrecôte bleue.

6) – .... ?
– Oui, mais je préfère ces boucles d'oreilles.

8. Combien est-ce que vous en prenez ?

Répondez comme dans l'exemple.

Exemple : – Combien de viande est-ce que vous prenez aujourd'hui ?

⇨ **– Je n'en prends pas.**

– Mais si, prenez-en !

1) ▪ – Combien de poisson est-ce que vous mangez chaque semaine ?

– ....

– ....

2) ▪ – Combien de pain est-ce que tu manges ?

– ....

– ....

3) ▪ – Combien de légumes est-ce que vous prenez à chaque repas ?

– ....

– ....

4) ▪ – Combien de gâteaux est-ce que tu achètes ?

– ....

– ....

5) ▪ – Combien de litres d'eau est-ce que tu bois par semaine ?

– ....

– ....

6) ▪ – Combien de bouteilles de vin est-ce que tu achètes par mois ?

– ....

– ....

7) ▪ – Combien de livres est-ce que tu lis par an ?

– ....

– ....

9. Adverbes de fréquence.

Dites combien de fois vous en mangez. Écrivez une phrase par aliment.

Exemples : Du café. ⇨ **J'en prends deux fois par jour.**

Des légumes. ⇨ **J'en mange à chaque repas.**

1) ▪ Du pain. ....

2) ▪ Du riz. ....

3) ▪ Du fromage. ....

4) ▪ De la viande. ....

5) ▪ Du poisson. ....

6) ▪ Des fruits. ....

7) ▪ Du lait. ....

8) ▪ Des pâtes. ....

9) ▪ Des pommes de terre. ....

10) ▪ Du dessert. ....

10. Article partitif et article défini.

Comme dans l'exemple, faites des phrases avec les mots proposés.

*Utilisez des verbes comme **prendre, acheter, manger, goûter**…*

Exemple : Poisson. ⇨ **– Voilà du beau poisson. – Tu aimes le poisson ? – Oui, alors achètes-en.**

1) ▪ Viande. ....

....

2) ▪ Légumes. ....

....

3) ▪ Salade. ....

....

4) ▪ Poulet. ....

....

5) ▪ Fruits. ....

....

11. Articles.

Complétez le dialogue avec des articles.

LA SERVEUSE : Tenez, voilà .... carte. Qu'est-ce que vous prenez aujourd'hui ?

PATRICIA : Hier, j'ai pris .... viande. Je vais prendre .... poisson

aujourd'hui. Quel est .... poisson .... jour ?

LA SERVEUSE : C'est .... saumon grillé avec .... pommes de terre

vapeur.

PATRICIA : Ça me va. Donnez-moi aussi .... salade de tomates pour commencer.

LA SERVEUSE : Et vous, Monsieur ?

LAURENT : Pour moi, ... œufs mayonnaise et .... steak.

LA SERVEUSE : Avec .... frites ?

LAURENT : Non, avec .... haricots verts.

LA SERVEUSE : Bon, alors, ... salade de tomates et .... œufs

mayonnaise, ... saumon avec .... pommes vapeur

et .... steak-haricots verts. Et qu'est-ce que vous voulez comme boissons ?

LAURENT : Vous avez .... eau gazeuse ?

PATRICIA : Non, pour moi, pas d'eau gazeuse. Je préfère .... eau plate.

LAURENT : Alors, ... bouteille d'eau minérale plate.

LA SERVEUSE : D'accord. Je vous apporte ça tout de suite.

12. Orthographe.

Complétez les mots. Attention à l'orthographe des voyelles nasales.

1 ▪ – Vous ne m......gez pas de p...... ?

     – N......, nous n'...... m......ge......s jamais.

2 ▪ – Tu pr......ds de la vi......de ?

     – N......, je pr......ds du poiss...... .

3 ▪ – Garç......, le fromage est c......pris d......s le menu ?

     – N......, M......sieur, il est ...... supplém......t.

4 ▪ Tu ...... comm......des une autre. Mais il l'a à moitié m......gée, s...... ......trecôte !

13. Habitudes alimentaires. 饮食习惯。

Sur une feuille séparée, vous écrivez à un correspondant francophone.
Vous lui dites ce que vous mangez habituellement et vous présentez un menu type
de chez vous. Si vous ne connaissez pas la traduction des plats, laissez le nom dans
votre langue mais décrivez-les.

FAISONS LE MARCHÉ

Vocabulaire

1. Déterminez le genre des noms.

Observez le tableau d'aliments de votre manuel, page 9, et trouvez les quatre noms qui ne suivent pas les règles ci-dessus. Écrivez-les. Faites-les précéder d'un article. 下表是记忆名词阴阳性的一些规律。仔细学习后，请在课本第9页的食物名词中找出不符合这些规律的特例，并把它们写在横线上，注意别忘记冠词。

....

> **Rappel des indices de détermination du genre des noms**
>
> **1** ▪ Terminaisons en **son de voyelle** ⇨ masculin :
> *Pain, poisson, menu, client, bouchon, goût, supplément.*
>
> **2** ▪ Terminaisons en **son de consonne** ⇨ féminin :
> *Viande, entrecôte, orange, carotte, tomate, salade, pâtes.*
>
> **3** ▪ Terminaisons en **son de consonne** et pas de **e** final écrit ⇨ masculin :
> *Maroc, sac, sel, noir, œuf, bœuf, yaourt, dessert.*
>
> **4** ▪ Terminaisons en sons **i, u, ou** :
> ⇨ finale écrite en e : féminin : *Italie, rue, roue.*
> ⇨ finale écrite autre que e : masculin : *Chili, riz, but, bout, chou.*
>
> **5** ▪ Noms composés : la terminaison indique souvent le genre. Par exemple :
> ⇨ **-age**, **-ment** : masculin ;
> ⇨ **-ion**, **-té** : féminin.

2. Précisez les quantités.

une boîte   une bouteille   une plaquette   un paquet   un pot   une douzaine   une tranche

Choisissez une des expressions.

1) ▪ un paquet	○ de café	○ de beurre	○ de légumes
2) ▪ un pot	○ de pain	○ d'eau minérale	○ de crème
3) ▪ une bouteille	○ de fruits	○ de vin	○ de chocolat
4) ▪ une plaquette	○ de lait	○ de yaourt	○ de beurre
5) ▪ une boîte	○ de haricots	○ de pain	○ de crème
6) ▪ une douzaine	○ d'œufs	○ de fraises	○ de bière
7) ▪ une tranche	○ de beurre	○ de jambon	○ de gâteau

3. C'est bon pour la santé !

Associez les mots suivants.

1) ▪ produits		**a** ▪ écrémé
2) ▪ crème		**b** ▪ sans alcool
3) ▪ lait		**c** ▪ bio
4) ▪ bière		**d** ▪ allégée
5) ▪ yaourt		**e** ▪ sans colorant

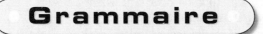

Grammaire

4. Partitifs.

Répondez comme dans l'exemple.
Exemple : – Tu veux de la bière ? ⇨ **– Non, je n'en bois pas. Donne-moi de l'eau.**

1) ▪ – Tiens, voilà de l'eau plate. – ....

2) ▪ – Il reste des légumes. Tu en reprends ? – ....

3) ▪ – Du poisson, ça te va ? – ....

4) ▪ – Tu prends du fromage ? – ....

5) ▪ – Tu veux du dessert ? – ....

5. Expressions de quantité.

Trouvez la question.

1) ▪ – .... ?

– Non, merci, je ne veux pas de fromage aujourd'hui.

2) ▪ – .... ?

– Non, pas de cidre. De l'eau, s'il vous plaît.

3) ▪ – .... ?

– Oui, je vous en apporte une bouteille tout de suite.

4) ▪ – .... ?

– Non, nous n'avons pas de poisson aujourd'hui.

5) ▪ – .... ?

– Oui, il y en a au menu.

Trouvez la réponse.

6) ▪ – Vous voulez combien de stylos ?

    – ....

7) ▪ – Il y a beaucoup de clients dans la boutique ce matin ?

    – Non, ...

8) ▪ – Je te sers une grande part de gâteau ?

    – Non, ...

9) ▪ – Combien d'eau faut-il pour faire cuire les pâtes ?

    – ....

6. Négation de la quantité.

Exemple : – Du Coca-Cola pour Madame ? ⇨ **– Non, merci, je ne bois pas de Coca-Cola.**

1) ▪ – Vous voulez du poisson ? – ....

2) ▪ – De la viande, alors ? – ....

3) ▪ – Eh bien, prenez des légumes. – ....

4) ▪ – Vous désirez du fromage ? – ....

5) ▪ – Passons au dessert alors. – ....

7. Pas de ≠ pas du.

M. Legendre va faire les courses au marché. Il demande à sa femme ce qu'il doit acheter.
Complétez le dialogue.

1) ▪ Qu'est-ce que je prends ? .... bœuf ?

2) ▪ Non, ne prends pas .... bœuf, prends .... veau pour faire une blanquette.

3) ▪ Et comme fromage, qu'est-ce que j'achète ? .... camembert ?

4) ▪ Non, n'achète pas .... camembert. On en a encore. Achète ....gruyère.

5) ▪ Je prends .... huile aussi ?

6) ▪ Non, pas .... huile, ... beurre.

7) ▪ D'accord.

8. Prix au poids et à la quantité. 单位价格。

Exercice 1 :
Créez des affiches comme dans l'exemple. 按照例子写价签。
Exemple : Un œuf coûte 1,80 euro.
Faites une étiquette pour une douzaine d'œufs. ⇨

> ŒUFS
>
> 1,80 € / la douzaine

1) ▪ Trois litres d'huile

    valent 5 euros.

    Faites une étiquette pour un litre.   →

2) ▪ Le café vaut 12 euros le kilo.

Indiquez le prix d'un paquet

de 250 grammes. ➜

3) ▪ On a dix kilos de pommes de terre

pour 9 euros.

Écrivez le prix au kilo. ➜

4) ▪ L'eau minérale vaut 3 euros

le paquet de six.

Donnez le prix d'une bouteille. ➜

Exercice 2 : Imaginez maintenant un dialogue entre le/la client(e) et le/la vendeur(se). 现在想象一段顾客与售货员之间询问价格的对话。

Exemple : – S'il vous plaît, les œufs sont à combien ?

– 1 euro 80 la douzaine, Madame. Vous en voulez ?

9. Quantificateurs.

Lisez et complétez la liste des courses. Utilisez **un peu, beaucoup, assez, paquet, litre, kilo...**

1) ▪ – Je vais faire les courses. Qu'est-ce qu'il nous faut ?

2) ▪ – Prends .... de café et .... d'huile. Il n'y a plus .... de

beurre. Prends-en ....

3) ▪ – Il faut du pain.

4) ▪ – Il en reste un peu mais pas .... Prends une baguette.

5) ▪ – J'achète quelques fruits ?

6) ▪ – Oui, achète .... d'oranges et un .... de pommes.

7) ▪ – Il y a .... de légumes ?

8) ▪ – Oui, il en reste un .... Tu rapporteras des carottes, des pommes de terre

et des poireaux. Un .... de chaque.

9) ▪ – D'accord. À tout à l'heure.

10. Quantificateurs indéfinis.

Complétez le dialogue.

1) ▪ – Vous reprendrez bien un .... viande ?

2) ▪ – Non merci. Je ne mange pas .... viande, le soir.

3) ▪ – .... légumes, alors ?

4) ▪ – Je veux bien un .... légumes, oui, s'il vous plaît.

5) ▪ – Vous ne mangez pas .... fromage, je crois ?

6) ▪ – Non.

7) ▪ – Vous ne mangez pas .... à votre âge !

8) ▪ – Mais si. Et puis, j'aime les desserts.

9) ▪ – Alors, vous aurez un gros .... tarte aux pommes !

11. Orthographe.

Écrivez la 1ʳᵉ personne du singulier et du pluriel des verbes suivants. observez les formes conjuguées pour voir s'il y a des règles à respecter. 写出并观察下列第一组动词的第一人称单复数变位，看每一列是否都有规律可循。

acheter	appeler	répéter
se lever	épeler	espérer
se promener	jeter	préférer

12. Présentez un restaurant de votre ville.

Inspirez-vous de la présentation de ces deux restaurants pour écrire un texte sur un restaurant de votre choix. 选择一家餐馆，并参照下面两篇短文写一篇关于这家餐馆的介绍。

La Marée
35, rue Ménilmontant
75020 Paris

Amateurs de poisson, n'oubliez pas cette adresse ! Vous aimerez le saumon aux pâtes fraîches, les poissons du jour au grill, accompagnés de riz au beurre blanc. Les plateaux de fruits de mer sont toujours frais. Les parts sont bien servies, mais gardez une place pour les desserts. Vous serez séduits par les spécialités au chocolat d'un jeune chef de talent, Christian Marin : chocolat blanc, au lait ou noir, en gâteau, en tarte ou en mousse. Un dessert excellent ! Le tout dans un joli décor bleu et blanc. Accueil très agréable de Nadine Marin et addition tout à fait raisonnable.

Menus : 18 € (déjeuner), 27 €.
Carte : 33 €.
14/20

Les parents terribles
156, bld Richard-Lenoir
75011 Paris

Côté nouveauté, une adresse jeune et sympathique dans ce quartier à la mode. Cuisine légère, mais originale : flan de légumes, mousse de poisson, émincés de volaille ou de bœuf, crème d'oranges ou de fruits rouges. Le patron et cuisinier, Éric Levasseur, connaît son métier et sait nous surprendre. Seul petit problème, l'addition est un peu élevée pour la quantité servie, mais la qualité est, il est vrai, irréprochable.

Menus : 28 €, 33 €, 43 €.
Carte : entre 46 et 53 €.
12/20

....

....

....

....

....
....
....
....

13. Écrivez un résumé.

Écrivez, de mémoire, un résumé des deux épisodes précédents.

....
....
....
....
....
....
....
....

文化点滴

开饭了!

尽管许多法国年轻人更偏爱汉堡包、可口可乐、玉米薄片,而不是牛排薯条、橙汁和早餐面包片抹黄油,他们父辈中的大多数还是忠实于传统的饮食习惯。聚集在餐桌周围,对于法国家庭来说,总是一种让人难以割舍的享受。

法国除了有好吃的家常菜,更有高级法式大餐!那些知名的大厨们都是名副其实的设计师,因为他们总是孜孜不倦地研究着新的菜肴、新的味道。他们一面小心翼翼地珍藏着自己的看家秘笈,一面却毫不吝啬地与别人分享他们的高超技术。年轻的未来大厨们以他们为师,力争使自己成为法国大餐的代言人。

现在,祝各位好胃口!

答案:

  1. Qu'est-ce que vous avez vu ?

   1), 2), 3), 4), 5)

  2. Dans quel ordre ?

   4) – 5) – 2) – 3) – 1)

长棍面包和其他

　　法国的面包有八十多种，但法国永远是长棍面包（la baguette）的故乡！

　　面包师们可用同一种面制造出重量和形状各异的面包：

－ 早餐和小孩下午茶点吃的仅重50克的小面包；

－ 重125克的细长小面包（la ficelle）；

－ 重200克的棍子面包（la flûte）；

－ 重250克的长棍面包，其销售量在法国高达每天1 000万根；

－ 重250克的短棍面包（le bâtard）；

－ 重450克的大面包。

　　在法国还能找到其他各具特色的面包，如：麸皮面包，全麦面包、黑麦面包、核桃面包、谷物面包……，以及一些具有地方特色的面包，如南方的弗卡司[1]（la fougasse）和北方的发吕石[2]（la faluche）！

注释：

1. 弗卡司实为一种烤饼。
2. 发吕石为法国北部和比利时弗兰德地区的一种圆形小面包。

ON DÉMÉNAGE

Vocabulaire

1. Que savez-vous de l'entreprise ?

Créez un réseau autour de la notion d'entreprise de services sur une feuille séparée.

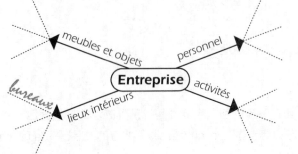

meubles et objets — personnel

bureaux

Entreprise — activités

lieux intérieurs

2. Chassez l'intrus.

Dites pourquoi un des mots ne va pas avec les autres.

1) ▪ lampe – armoire – fauteuil – plante

....

2) ▪ déménager – ranger – exagérer – installer

....

3) ▪ rez-de-chaussée – étage – répartition – couloir

....

4) ▪ mettre – emprunter – poser – placer

....

3. On peut mourir de bien des manières !

*Écrivez une légende sous chaque dessin. On peut **mourir de rire, de chaud, de froid, de peur**.*

1)   2)   3)   4)

je **meurs**
tu **meurs**
il/elle **meurt**
nous **mourons**
vous **mourez**
ils/elles **meurent**

1) ▪ ....

2) ▪ ....

3) ▪ ....

4) ▪ ....

Grammaire

4. *Y* et *en* adverbes de lieu.

Répondez affirmativement ou négativement. Remplacez le complément de lieu souligné par un adverbe de lieu.

1) ▪ – Benoît vient du bureau de Nicole ? – ....

2) ▪ – Benoît et ses collègues montent au sixième ? – ....

3) ▪ – Nicole range ses dossiers dans son armoire ? – ....

4) ▪ – Benoît retourne à son bureau ? – Non, ...

5) ▪ – Ils descendent tous du sixième étage ? – ....

6) ▪ – Julie habite chez ses parents ? – Non, ...

7) ▪ – Pascal achète des légumes sur le marché ? – ....

5. La négation *ne... plus.*

Vous n'avez plus de nouvelles d'une amie. Téléphonez à un ami commun.
*Faites des réponses négatives avec **ne... plus**. Utilisez **y**.*

1) ▪ – Charlotte habite toujours à Paris ?

– ....

2) ▪ – Son mari et elle s'intéressent toujours aux jardins ?

– ....

3) ▪ – Lui, il travaille encore dans la même société ?

– ....

4) ▪ – Ils pensent toujours partir à l'étranger ?

– ....

5) ▪ – Est-ce qu'ils vont toujours dans leur maison de campagne ?

– ....

6) ▪ – Est-ce que leur fille vit encore chez eux ?

– ....

7) ▪ – Elle aimait garder son appartement propre. Mais son mari est sale. Depuis qu'elle s'est mariée avec lui, elle fait très peu attention à la propreté.

– C'est vrai que ....

6. *Y devant infinitif.*

Exemple : L'armoire est trop petite. (Tous ses dossiers – ranger.)
    ⇨ **Elle ne pourra jamais y ranger ses dossiers.**

1) ▪ La voiture est trop petite. (Toute la famille – monter.)

....

2) ▪ L'appartement est trop petit. (Tous les meubles – installer.)

....

3) ▪ Ce salon est trop petit. (Tous les invités – faire entrer.)

....

4) ▪ L'atelier est trop petit. (Tous les artistes – travailler.)

....

5) ▪ La salle de concert est trop petite. (Tous les spectateurs – s'asseoir.)

....

7. Les fonctions de *en.*

*Utilisez **en** dans vos réponses et dites de quelle fonction de **en** il s'agit : pronom **(COI)**, pronom équivalent à partitif + nom **(COD)** ou adverbe de lieu **(L)**.* 用en回答下列问题，并说出它的语法功能：间接宾语人称代词（COI）、直接宾语人称代词（COD）、地点副词（L）。
Exemple : – Elle se plaint de son bureau ?
    ⇨ **– Oui, elle s'en plaint (COI).**

1) ▪ – Ils reviennent de vacances ? – ....

2) ▪ – Tu t'occuperas de mon ordinateur ? – ....

3) ▪ – Vous venez de son bureau ? – ....

4) ▪ – Elle veut des dossiers ? – ....

5) ▪ – Tu prendras des disquettes dans mon armoire ? – ....

6) ▪ – Il veut changer d'emploi ? – ....

7) ▪ – Je peux manger du sucre, docteur ? – ....

8) ▪ – Salut, Cécile ! Bonnes vacances à Rome ! – Non, Sylvie, c'est déjà terminé. ....

9) ▪ – De quoi as-tu envie, un café peut-être ? – ....

8. *En,* y ou *leur ?*

*Remplacez les expressions soulignées par **en, y** ou **leur** dans la réponse.*
Un chasseur de tête interviewe Benoît.

1) ▪ – Vous travaillez depuis longtemps <u>dans cette agence</u> ?

   – ....

2) ▪ – Vous vous occupez <u>de la vente des billets</u> ?

   – ....

3) ▪ – Et vous organisez <u>des voyages de groupes</u> ?

    – ....

4) ▪ – Vous envoyez des brochures publicitaires <u>à vos clients</u> ?

    – ....

5) ▪ – Vous vous sentez bien <u>dans cette agence</u> ?

    – Non,..

6) ▪ – Vous pensez <u>à un poste dans une autre entreprise</u> ?

    – ....

7) ▪ – Vous connaissez <u>d'autres agences</u> ?

    – ....

8) ▪ – Vous êtes satisfait <u>de votre salaire mensuel de 2 000 euros</u> ?

    – Non, ...

9) ▪ – Vous avez parlé <u>de votre projet</u> professionnel à votre patron et vos collègues ?

    – Non, ...

9. *Personne... ne, rien... ne.*

Une entreprise pas comme les autres ! Rien ne va plus !
*Exercice 1 : Répondez aux questions en employant **personne** et **rien** comme sujets des phrases.*

1) ▪ – Qui s'intéresse à l'organisation ?

    – ....

2) ▪ – Quelqu'un s'occupe de la publicité ?

    – ....

3) ▪ – Quelqu'un paie les salariés ?

    – ....

4) ▪ – Les employés s'intéressent à quelque chose ?

    – ....

5) ▪ – Le patron ne s'étonne pas de ce curieux fonctionnement ?

    – ....

Exercice 2 :
*Décrivez la vie du Stroumpfe Grognon en employant **personne** et **rien** comme sujets des phrases.*
现在描述一下蓝精灵厌厌的生活，用personne和rien作句子的主语。

10. *Personne d'autre, rien d'autre.*

Exemples : –Voilà mon blouson. Tu veux autre chose ? ⇨ **–Je ne veux rien d'autre.**

–Tu n'as parlé qu'au gardien ? ⇨ **–Je n'ai parlé à personne d'autre.**

1) ▪ – Tenez, prenez ces dossiers. Vous avez besoin d'autre chose ?

– ....

2) ▪ – Donne-lui la cafetière. Elle veut autre chose ?

– ....

3) ▪ – Vous n'avez téléphoné qu'à vos parents ?

– ....

4) ▪ – Vous n'avez discuté du projet qu'avec vos amis ?

– ....

5) ▪ – Voilà des livres. Vous voulez autre chose ?

– ....

Écriture

11. Orthographe et prononciation.

1) Soulignez les liaisons interdites.

① ▪ Voilà une opinion intéressante.

② ▪ Vous allez rencontrer un informaticien irlandais.

③ ▪ Ce sont des médecins allemands.

④ ▪ Venez voir nos voisins italiens.

⑤ ▪ Alex est un garçon efficace.

*2) Complétez avec **ces, ses, s'est** ou **c'est**.*

① ▪ ...... jours-ci, il ...... levé tôt.

② ▪ Il ...... disputé avec ...... collègues.

③ ▪ ...... à cause de ...... changements de bureau.

④ ▪ Il ...... retrouvé dans un petit bureau sans ...... dossiers.

⑤ ▪ ...... parce que ...... collègues ont perdu ...... dossiers.

12. Rédigez une demande d'emploi. 写求职广告。

Lisez les demandes d'emplois ci-dessous et rédigez-en deux différentes sur une feuille séparée.

Jeune femme, secrétaire commerciale, expérimentée export, trilingue allemand-italien, bonnes notions de comptabilité, compétence informatique, autonome et dynamique, cherche emploi à temps complet. **Tél. : 01 47 78 23 12.**

Homme 41 ans, cadre relations humaines, 12 ans d'expérience du personnel, responsable formation dans multinationales, bonne connaissance de l'anglais, cherche poste équivalent. **Téléphoner le soir au 01 49 93 75 36.**

BENOÎT S'INSTALLE

Vocabulaire

1. Jeu des sept erreurs.

*Examinez les deux dessins. Décrivez la place des objets dans le premier dessin
et dites ce qu'on a changé de place dans le deuxième.* 观察下面两幅图，描述第一幅图中物品的
位置，然后说出第二幅图中哪些物品换了位置。

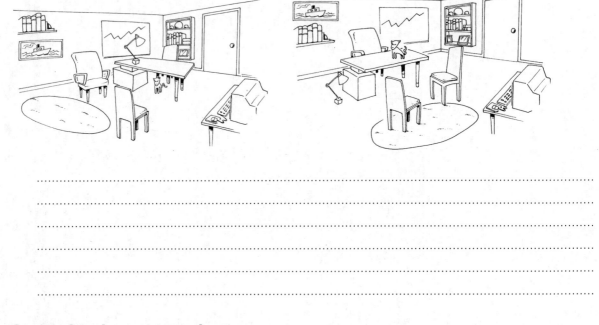

....
....
....
....
....
....

2. Associez les contraires.

1) ▪ clair   **a** ▪ bruyant

2) ▪ froid   **b** ▪ vide

3) ▪ silencieux   **c** ▪ simple

4) ▪ difficile   **d** ▪ sombre

5) ▪ plein   **e** ▪ chaud

3. Trouvez les verbes ou les noms correspondants.

Complétez puis écrivez (M) pour masculin ou (F) pour féminin près du nom dérivé pour indiquer le genre.

1) ▪ blocage ....

2) ▪ ....   ranger

3) ▪ attribution ....

4) ▪ allumage ....

5) ▪ ....   proposer

6) ▪ situation ....

7) ▪ amusement ....

8) ▪ .... installer

9) ▪ explication ....

10) ▪ implantation ... .

11) ▪ .... choisir

12) ▪ .... passer

Grammaire

4. *En train de + infinitif.*

Exemple : – Tu as emménagé ?
⇨ **– Non, je suis en train d'emménager./Non, je suis en train de le faire.**

1) ▪ – Tu as rangé ton bureau ? – ....

2) ▪ – Tu as mis les dossiers au-dessus de l'armoire ? – ....

3) ▪ – Tu as installé ton ordinateur ? – ....

4) ▪ – Tu as placé la caisse sous la fenêtre ? – ....

5) ▪ – Tu as bu ton café ? – ....

6) ▪ – Tu as lu ce journal ? – ....

7) ▪ – Tu as envoyé le fax ? – ....

8) ▪ – Tu as choisi ton nouveau bureau ? – ....

5. *Qui est-ce qui...*

Posez des questions sur les mots soulignés.
Utilisez les formes **qui est-ce qui, qui est-ce que,**
qu'est-ce qui, qu'est-ce que.
Exemples : La cafetière a disparu.
⇨ **Qu'est-ce qui a disparu ?**
Son collègue est parti.
⇨ **Qui est-ce qui est parti ?**

> Rappel : dans les formes **qui est-ce qui, qui est-ce que, qu'est-ce qui** et **qu'est-ce que**, le premier **qui** ou **que** indique s'il s'agit d'une personne ou d'une chose, le second indique s'il s'agit d'un sujet ou d'un complément.

1) ▪ Le collègue n'y comprend rien. ....

2) ▪ Benoît lui a expliqué la nouvelle répartition. ....

3) ▪ La taille de son bureau met Nicole en colère. ....

4) ▪ Benoît a choisi le placard à balais. ....

5) ▪ Son collègue peut l'aider. ....

6) ▪ Le casier de brochures peut aller sous la table. ....

7) ▪ On peut mettre cette plante dessus. ....

8) ▪ Benoît est monté sur une chaise. ....

9) ▪ Le nouveau bureau est situé de l'autre côté du couloir. ....

10) ▪ Le collègue aide Benoît à ranger le bureau. ....

6. Inversion sujet-verbe.

Soignez votre langage écrit.
Transformez les phrases suivantes pour créer des questions avec l'inversion sujet-verbe.
Exemple : Tes amis vont au cinéma.
⇨ Tes amis vont où ?
⇨ **Où tes amis vont-ils ?**

1) ▪ Tes parents partent demain.

....

2) ▪ Ton frère va à Paris pour suivre un stage.

....

3) ▪ Les femmes s'en vont en voiture.

....

4) ▪ Ces gens partent pour se reposer.

....

5) ▪ Vous lui avez donné quinze euros.

....

6) ▪ Il met ce casier sous la fenêtre.

....

7) ▪ Elle choisit ce bureau.

....

8) ▪ Ils se voient demain soir.

....

7. Inversion sujet-verbe.

Le nouvel employé est très poli. Il emploie un langage très soigné pour interroger ses collègues.
D'après les réponses, trouvez ses questions.
Exemple : **– Excusez-moi de vous déranger. Le bureau de M. Royer, où est-il ?**
– C'est au quatrième, au fond du couloir.

1) ▪ – ....

– Nicole va s'installer à côté, au 416.

2) ▪ – ....

– La cafétéria est au sous-sol.

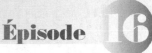
3) ▪ – ....

– Vous devez vous adresser au service informatique.

4) ▪ – ....

– La réunion aura lieu à 11 heures. Vous y serez le bienvenu.

8. *Y, en, lui ou leur ?*

Nicole va emménager dans un nouveau bureau. Chez elle, ses enfants lui demandent ce qu'elle va faire. Remplacez le complément souligné par un pronom dans la réponse.

1) ▪ – Tu vas porter tes affaires <u>dans ton nouveau bureau</u> ?

– ....

2) ▪ – Tu vas ranger tous tes dossiers <u>dans ton armoire</u> ?

– ....

3) ▪ – Tu vas pouvoir téléphoner <u>à papa</u> de ton bureau ?

– ....

4) ▪ – Tu vas demander <u>à tes collègues</u> de t'aider ?

– ....

5) ▪ – Après, vous allez prendre un café <u>à la cafétéria</u> ?

– ....

6) ▪ – Vous reviendrez <u>de la cafétéria</u> à quelle heure ?

– ....

9. *Ne... que.*

Exemple : On a laissé un seul fauteuil. ⇨ **Il ne reste qu'un fauteuil.**

1) ▪ Il a emporté toutes ses affaires, mais il a oublié un dossier.

....

2) ▪ Tous les invités sont partis, sauf un vieil ami de la famille.

....

3) ▪ On a pris tous les meubles sauf la table.

....

4) ▪ Tous les employés sont en vacances, mais le gardien est resté.

....

5) ▪ Tous les bureaux sont pris. Seul, le placard à balais est encore libre.

....

6) ▪ Il a fait tous les exercices, sauf le 7e exercice.

....

7) ▪ Il a mangé tous les plats, sauf ce plat.

....

8) ▪ Tous les bureaux ont été rangés, sauf le bureau de Benoît.

....

10. *Ne... que, ne... pas.*

Complétez cet article paru dans un journal local.

Aidez-nous à restaurer ce château !

Le château de notre village ...... est plus ...... une ruine. Nous ...... manquons ...... de gens de bonne volonté pour travailler à sa restauration, mais nous ...... avons ...... assez d'argent pour acheter les matériaux. Il ...... reste plus ...... une partie du donjon. Le grand escalier ...... a ...... de marches en bon état. Les toits ...... sont ...... un souvenir ! Nous ...... attendons ...... votre aide pour le sauver. Merci d'être généreux !

11. Condition et conséquence.

Complétez les phrases : exprimez une conséquence.
Exemple : S'il n'y a rien à faire, **je repars dans mon bureau.**

1) ▪ S'il ne reste que ces trois bureaux, ...

2) ▪ Si tu veux un coup de main, ...

3) ▪ Si tu peux trouver un endroit, ...

4) ▪ S'il fait trop chaud, ...

5) ▪ Si vous rangez bien votre bureau, ...

Écriture

12. Une lettre de réclamation. 投拆信。

On vous a attribué un bureau mal situé, trop sombre et trop chaud l'été, trop petit, sans vue... Sur une feuille séparée, vous écrivez une lettre au chef du personnel pour vous plaindre et demander qu'on vous change de bureau. Donnez de bonnes raisons si vous voulez obtenir satisfaction !

13. Résumez l'ensemble de l'épisode.

1) Mettez ces photos en ordre.
2) Faites des commentaires sur chacune des photos.

a　　　　　b　　　　　c　　　　　d　　　　　e　　　　　f

　①　▪ ....
　②　▪ ....
　③　▪ ....
　④　▪ ....
　⑤　▪ ....
　⑥　▪ ....

3) Sur une feuille séparée, écrivez un résumé en 60 à 80 mots.

文化点滴

创新型企业

　　一个企业若想增强自己的竞争力，必须不断地寻找新的创意。

　　汝拉地区（le Jura）是传统的乳酪生产地，尤其是孔泰干酪（le comté）。奶牛、牛奶、奶酪，至此并无任何特别的创新。尽管这家奶酪厂的设备非常现代化，但这也不是它的独特之处。其与众不同的地方在于该奶酪厂由一些注重生态保护的年轻农民所创建，所使用的生产原料只能是清一色的绿色产品。

　　边唱歌边学习，这不是所有中学生的梦想吗？这个梦想因育碧（Ubisoft）软件公司的发明而变成了现实：该公司编写了一些独特的教学软件程序。这些程序的设计人员都在三十岁以下。他们大胆地将勾股定理或拼写规则的讲解与节奏切分清晰的说唱音乐结合在了一起。

　　墨菲斯托（Méphisto），是一家经济效益良好的企业。产品营销良好对一个鞋业制造厂来说是很正常的。但它生产的可不是什么随随便便的鞋！这家洛林地区（Lorraine）的鞋厂生产的皮鞋虽以手工缝制为主，但却集中了各种技术创新。很多知名人士，可不是随便哪一个知名人士——如玛格丽特·撒切尔（Margaret Thatcher）、赫尔穆特·科尔（Helmut Kohl）和罗伯特·雷德福（Robert Redford）——都把自己敏感的脚交给这家工厂所生产的舒适皮鞋。据说教皇[1]穿的也是墨菲斯托的鞋！

注释：
1. 指前任教皇圣保罗二世。

答案：

1. Vrai ou faux ?

1) Vrai.

2) Faux. L'originalité : l'entreprise n'utilise que des produits biologiques.

3) Faux. Du matériel éducatif sur CD-Rom.

4) Vrai.

5) Faux. En grande partie seulement.

6) Sans doute. Elles sont originales pour leurs innovations technologiques.

2. Répondez aux questions.

1) Du lait.

2) Pour des collégiens.

3) Ils ont moins de 30 ans.

4) Margaret Thatcher, Helmut Kohl, Robert Redford ou le pape.

1. Quantificateurs.

Répondez comme dans l'exemple.

Exemple : – Tu veux de la bière ? ⇨ **– Non, je n'en bois pas. Donne-moi de l'eau.**

1) ▪ – Tiens, voilà de l'eau plate.

– ....

2) ▪ – Il reste des légumes. Tu en reprends ?

– ....

3) ▪ – Du poisson, ça te va ?

– ....

4) ▪ – Tu prends du fromage ?

– ....

5) ▪ – Tu veux du café ?

– ....

6) ▪ – Tiens, voilà des fruits.

– ....

7) ▪ – Il y a encore du thé. Tu en prends ?

– ....

8) ▪ – Le médecin te donne des médicaments. Tu en prends tous les jours ?

– ....

9) ▪ – Ta mère achète des gâteaux. Tu en veux ?

– ....

10) ▪ – Quand tu invites des amis, tu achètes du vin ?

– ....

2. *En* ou y ?

Complétez.

1) ▪ – Tu vas dans le bureau de Nicole ? – Oui, j' .... vais.

2) ▪ – Moi, j' .... sors. Elle n' .... est pas. Elle est peut-être à la cafétéria. Elle .... va souvent à midi.

3) ▪ – Non, elle n' .... est pas. J' .... viens.

4) ▪ – Retournons dans son bureau. Elle .... est peut-être maintenant.

5) ▪ – D'accord. Allons-................. .

6) ▪ – Oui, elle .... est. Mais elle parle de son travail peut-être avec quelqu'un.

7) ▪ – Peut-être, elle .... parle. Elle n'est pas contente de son travail.

8) ▪ – Non, elle ne .... est pas contente. Elle se .... plaint souvent.

9) ▪ – Elle se prépare à changer de travail ? Enfin, je crois qu'elle se .... prépare. Le directeur vient de renoncer à son nouveau projet.

10) ▪ – Oui, on dit que le directeur vient de .... renoncer.

3. Soignez votre style.

Récrivez ces questions. Faites des inversions sujet-verbe et utilisez un pronom de reprise si nécessaire.

1) ▪ Pourquoi est-ce que ces gens ont l'air heureux ?

....

2) ▪ De quoi est-ce que demain sera fait ?

....

3) ▪ Il faudra s'adresser à qui pour obtenir des renseignements ?

....

4) ▪ Tu fais du judo depuis combien de temps ?

....

5) ▪ Benoît s'installe dans quel bureau ?

....

6) ▪ Où est-ce que Fernand rencontre Pascal ?

....

7) ▪ Pourquoi le client n'est pas content ?

....

8) ▪ Benoît travaille dans cette agence depuis combien de temps ?

....

9) ▪ Le nouveau bureau se trouve à quel étage ?

....

10) ▪ Quand les jeunes rentrent à la maison ?

....

4. Articles.

Complétez le texte avec les articles.

Il adore manger.

Au petit déjeuner, il boit .... chocolat, ... lait ou .... café au lait. Il mange .... œufs, ... pain ou .... croissants. À midi, il va au restaurant : il prend .... viande avec .... frites, ... fromage et .... fruits. Il boit .... vin. Le soir, il dîne chez lui. Il mange encore beaucoup de .... viande, ... fromage et .... gâteaux. Il boit aussi .... bière.

5. Ne...que.

Exemple : La chambre est très petite, elle fait seulement 9 m². ⇨ **Elle ne fait que 9 m².**

1) ▪ Ils mangent seulement du pain le matin.

....

2) ▪ Ils font seulement du tennis.

....

3) ▪ Il pense seulement aux vacances.

....

4) ▪ Il boit du vin français. Il n'aime pas le vin d'autres pays.

....

5) ▪ C'est un végétarien.

....

DANS LES BOUTIQUES

Vocabulaire

1. Comment trouvez-vous ces vêtements ?

*Utilisez : **long** – court – large – étroit – grand – petit – cher – triste.*

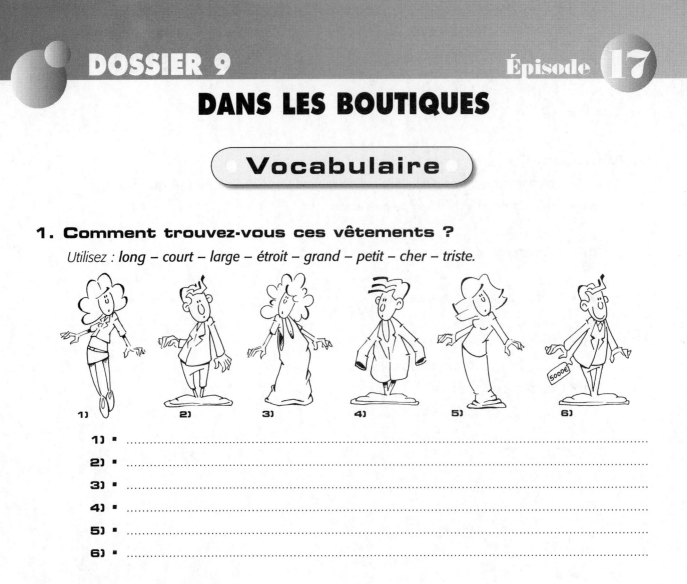

1) ....

2) ....

3) ....

4) ....

5) ....

6) ....

2. Familles de mots.

Complétez le tableau et les phrases ci-dessous.

coiffer	*coiffeur*	*coiffure*
vendre		
acheter		
passer		
prêter		

1) ▪ Quand je veux changer de ...., je vais chez le ....

pour me faire ....

2) ▪ Il y avait des .... dans la rue. Ils marchaient sur

les .... piétons.

3) ▪ Un bon .... doit aimer la .... s'il veut

bien ....

4) ▪ Pour faire de bons ...., un .... doit

savoir ....

5) ▪ J'ai besoin d'un .... Mais les banques

ne .... qu'aux riches.

Grammaire

3. *Lequel ? Celui de, celui-là...*

Faites des phrases comme dans l'exemple.

Exemple : Cette voiture est à tes parents ?

⇨ **– Laquelle ?**
 – La rouge.
 – Non, c'est celle de ma sœur. La voiture de mes parents, c'est celle-là.

1) ▪ – Cette robe est à ta sœur ?

 – ....

2) ▪ – Ce pull est à ton père ?

 – ....

3) ▪ – Ces chaussures sont à toi ?

 – ....

4) ▪ – Ce blouson est à ton frère ?

 – ....

5) ▪ – Ces foulards sont à Violaine ?

 – ....

6) ▪ – Le bureau est à toi ?

 – ....

7) ▪ – Cette boutique est à vos parents ?

 – ....

8) ▪ – Ces paquets sont à Julie ?

 – ....

4. D'accord, pas d'accord.

Donnez chaque fois deux réponses, une pour dire que vous êtes du même avis, l'autre pour dire que vous êtes d'un avis contraire.

Exemple : Je pense que la voiture y entre.

⇨ **Moi aussi./Pas moi.**

1) ▪ – Je crois que tu peux te garer ici. – ....

2) ▪ – Je ne suis jamais entrée dans cette boutique. – ....

3) ▪ – On achetait nos vêtements ici. – ....

4) ▪ – Je trouve que ça lui va très bien. – ....

5) ▪ – Je n'aime pas sa coiffure. – ....

6) ▪ – Je n'achète rien dans ce quartier. – ....

7) ▪ – Je trouve que c'est un quartier sympathique. – ....

8) ▪ – J'ai visité tous les grands musées de Paris. – ....

5. Imparfait.

Complétez le texte avec les verbes suivants à l'imparfait : **savoir – s'habiller – connaître – aller – sortir – travailler – prendre – être – marcher – porter.**

Dans les années 1900, on .... la Parisienne pour son élégance. Les riches .... chez les grands couturiers, les autres .... dans les petites boutiques pas chères. Mais toutes .... choisir leurs vêtements. Elles ne .... jamais sans chapeau, ... les robes longues avec grâce et .... à petits pas. Ce n'................................. sans doute pas très pratique, mais elles ne .... pas souvent le métro ! Il est vrai que peu de femmes .... à cette époque.

6. Imparfait.

Appariez ces phrases.

1) ▪ J'ai mis mon pull dans cette armoire.   **a** ▪ Ce n'est pas ce que tu voulais ?
Je ne le trouve plus !

b ▪ Oui, j'habitais près d'ici,

2) ▪ Tu te souviens de mon pantalon blanc ?   mais j'ai déménagé.

3) ▪ Vous veniez souvent il y a quelque temps.   **c** ▪ Oui, mais je n'en mets plus.

4) ▪ C'est ceux-là que vous aimiez.   **d** ▪ Tiens, le voilà. Il était sur ton lit.

5) ▪ Cette robe est un peu trop classique.   **e** ▪ Oui, tu le mettais souvent
l'année dernière.

7. Depuis, il y a, ça fait + expression de temps.

Exprimez chaque phrase de deux autres manières.
Exemple : Ils n'ont pas voyagé depuis longtemps.
    ⇨ **Ça fait longtemps qu'ils n'ont pas voyagé.**
    Il y a longtemps qu'ils n'ont pas voyagé.

1) ▪ Il y a 15 ans que j'achète mes vêtements dans cette boutique.

....

2) ▪ Ça fait dix ans qu'il n'a pas changé de voiture.

....

3) ▪ Il y a longtemps qu'elles ne se voient plus.

....

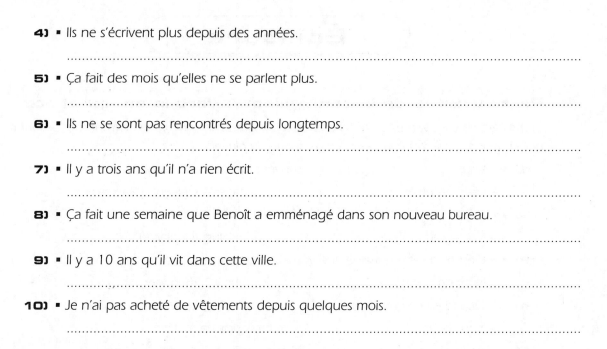
4) ▪ Ils ne s'écrivent plus depuis des années.

....

5) ▪ Ça fait des mois qu'elles ne se parlent plus.

....

6) ▪ Ils ne se sont pas rencontrés depuis longtemps.

....

7) ▪ Il y a trois ans qu'il n'a rien écrit.

....

8) ▪ Ça fait une semaine que Benoît a emménagé dans son nouveau bureau.

....

9) ▪ Il y a 10 ans qu'il vit dans cette ville.

....

10) ▪ Je n'ai pas acheté de vêtements depuis quelques mois.

....

8. Imparfait et expressions de temps.

Faites une phrase à propos de chacun des objets ci-dessous. Variez les structures de phrase et les expressions de temps.

Exemple :

1949
le lave-linge

⇨ **On a des lave-linge depuis 1949 seulement. Ça fait 57 ans qu'on trouve des lave-linge à acheter. Il y a 57 ans qu'on utilise le lave-linge. Il n'y avait pas de lave-linge avant 1949. C'est en 1949 qu'on a commencé à utiliser des lave-linge.**

1) • *1963 le yaourt en pot* **2)** • *1965 la minijupe* **3)** • *1979 le CD* **4)** • *1979 le téléphone sans fil*

1) ▪ ....

2) ▪ ....

3) ▪ ....

4) ▪ ....

Écriture

9. Particularités de la conjugaison : verbes en -*ger* et -*cer*.

Complétez avec les verbes entre parenthèses. Conservez le son [ʒ] *en écrivant -**ge**- devant* **o** *ou* [s] *avec c cédille* **(ç)** *à la première personne du pluriel.*

1) ▪ – Vous .... souvent dans ce restaurant ?

– Non, nous n'y .... pas très souvent. (Manger)

2) ▪ – Vous .... souvent les meubles chez vous ?

– Non, nous ne les .... plus. (Déplacer)

3) ▪ – C'est bien cette semaine que vous .... ?

– Non, nous ne .... plus. (Déménager)

4) ▪ – Quand est-ce que vous............................... ce nouveau produit ?

– Nous le .... le mois prochain. (Lancer)

5) ▪ – Vous .... beaucoup ?

– Nous .... souvent,

mais nous ne .... plus. (Voyager)

10. Les débuts de l'aviation.

Écrivez un texte pour faire revivre (à l'imparfait) les débuts de l'aviation dans le monde. Utilisez les faits suivants.

1500	Léonard de Vinci imagine des machines volantes.
1890	Clément Adler fait voler son Éole 1 sur 50 mètres.
1903	Les frères Wright restent en l'air et dirigent leur aéroplane.
1909	Louis Blériot réalise un exploit international : il traverse la Manche de Calais à Douvres en 38 minutes.
1913	Traversée de la Méditerranée en 7 heures 53 minutes par Roland Garros.
1914	Création du premier service régulier de passagers sur 29 kilomètres en Floride. L'hydravion ne transporte qu'un passager à la fois.

....

....

....

....

....

On entrait vraiment dans le siècle de l'aviation !

UNE VOITURE MAL GARÉE...

Vocabulaire

1. Chassez l'intrus.

Dites pourquoi un des mots ne va pas avec les autres.

1) • permis de conduire – fourrière – manteau – commissariat

....

2) • prêter – raconter – emprunter – récupérer

....

3) • mettre – enlever – porter – râler

....

4) • gentil – méchant – aimable – agréable

....

2. Mots croisés.

Lisez les définitions et remplissez la grille.
Reportez-vous à la page 50 de votre manuel.

1) • 80% des ménages français en ont une.

2) • Comme l'essence, il sert à faire rouler la voiture.

3) • On prend ce moyen de transport quand on est pressé.

4) • Il en faut pour rouler en voiture.

5) • On y met les bagages.

6) • Tous les conducteurs savent le faire.

7) • Il traverse les rues sur des passages spéciaux.

8) • L'autobus s'y arrête.

3. Formez des couples.

Classez les mots suivants par deux d'après leur sens.
Exemple : **chercher – trouver**

chercher – prêter – monter – sortir – arriver – acheter – enlever – se coucher – recevoir – attaquer – entrer – emprunter – trouver – défendre – donner – se lever – mettre – partir – descendre – vendre

....
....
....
....

4. Où est-ce qu'on prononce ces phrases ?

Exemple : – Quelle est votre pointure ? – Je fais du 37.
➪ **Dans un magasin de chaussures.**

1) ▪ Quelle taille est-ce que vous faites ? ....

2) ▪ Je viens pour récupérer ma voiture. ....

3) ▪ Vous avez choisi votre dessert ? ....

4) ▪ Votre voiture est mal garée. Montrez-moi votre permis de conduire. ....

5) ▪ Qu'est-ce que vous prenez, du super ou du sans-plomb ? ....

6) ▪ Mesdames et messieurs, excusez-moi de vous déranger. Vos tickets de métro, s'il vous
plaît ! ....

7) ▪ Donnez-moi un kilo de bœuf et une barquette de fraises... et ce sera tout, merci. ....

8) ▪ 16 euros, s'il vous plaît. La prochaine séance commence à 15h15. Vous avez encore le
temps de faire un tour dans le quartier. ....

Grammaire

5. Imparfait.

Mettez les verbes entre parenthèses à l'imparfait.

Quand nous (être) .... à Paris, nous (prendre) ....

souvent le métro. Nous (aller) .... visiter les monuments et les musées.

Nous (se promener) .... le long de la Seine. Nous (manger)

.... dans des petits restaurants sympathiques. Nous (parler)

.... aux gens et nous (se faire) .... des amis.

C' (être) .... l'été dernier. Il (faire) .... beau.

Beaucoup de Parisiens (être) .... loin de Paris. Il n'y (avoir)

.... pas d'embouteillages. Nous avons passé d'excellentes vacances.

6. Adjectifs suivis de *de* + infinitif.

*Attention à la préposition **de** qui suit ces adjectifs.*
Exemple : La défendre, c'est gentil. ➪ **C'est gentil de la défendre.**

1) ▪ Entendre ça, c'est agréable. ....

2) ▪ Faire ça, c'est facile. ....

3) ▪ Être avec vous, c'est bon. ....

4) ▪ Trouver du travail, c'est difficile. ....

5) ▪ Vendre des produits de luxe, c'est intéressant. ....

6) ▪ Avoir confiance en soi, c'est important. ....

7) ▪ Dire des choses pareilles, c'est méchant. ....

8) ▪ Écrire cette lettre, c'est nécessaire. ....

9) ▪ Parler tout seul à haute voix dans un lieu public, c'est ridicule. ....

10) ▪ Aller chercher sa voiture à la fourrière, c'est ennuyeux. ....

7. Prépositions dans les expressions de temps.

Complétez avec en, à, dans ou depuis.

1) ▪ Ils seront là .... dix minutes.

2) ▪ Je les ai vus pour la dernière fois .... Noël.

3) ▪ L'euro est la monnaie officielle de la France .... 2002.

4) ▪ Je ne leur ai pas téléphoné .... deux semaines.

5) ▪ Il l'a fait .... dix minutes.

6) ▪ Ils partent .... avril.

7) ▪ Elle revient .... deux heures.

8) ▪ Je t'attends .... un siècle.

9) ▪ .... 3 ans, il n'a pas changé.

10) ▪ .... 10 ans, je serai grand et je dirai non à tous les méchants !

8. Imparfait ou passé composé ?

Mettez les verbes entre parenthèses au temps qui convient.

1) ▪ La semaine dernière, nous (partir) .... en week-end.

Il y (avoir) .... tellement de monde au retour que nous

(mettre) .... trois heures pour rentrer.

2) ▪ Hier, je (aller) .... chez Claire. Quand je (arriver)

.... elle (pleurer) .... et elle ne (pouvoir)

.... plus parler. Je (être) .... très inquiète.

Elle (se calmer) .... et me (raconter) .... son

aventure. En fait, ce ne (être) .... pas très grave.

9. Imparfait ou passé composé ?

Trouvez les questions.
Exercice 1 :

1) ▪ – .... ? – Oui, il y avait beaucoup de monde.

2) ▪ – .... ? – Je l'ai garée au coin de la rue.

3) ▪ – .... ? – Oui, elle débordait un peu.

4) ▪ – .... ? – Ce n'était pas possible. Je n'avais pas le choix.

5) ▪ – .... ? – Il n'y avait pas de cabine téléphonique !

Exercice 2

Mademoiselle M a été retrouvée morte assassinée ce matin dans sa chambre. La police ouvre une enquête cet après-midi. Voici un extrait d'interrogatoire entre le commissaire C et le suspect Monsieur X, le voisin de M. À vous de retrouver les questions.
M小姐今天早上在她的房间里被发现遇害身亡。下午警察局立案调查。下面是警察局长C审讯M的邻居、嫌疑犯X先生的一个片断。现在由你来找出问题。

6) ▪ – ....

– Il y a deux jours. Sur l'escalier. Après je ne l'ai pas revue.

7) ▪ – ....

– Non, seule.

8) ▪ – ....

– Oui, mais juste quelques mots. Elle avait l'air pressée.

9) ▪ – ....

– Pas vraiment. Vous savez, maintenant, les gens ne se parlent pas beaucoup même si on habite dans le même bâtiment.

10) ▪ – ....

– Je suis allé à Lyon pour le travail hier et je viens de rentrer à Paris à midi. Donc, je n'étais pas à Paris cette nuit.

11) ▪ – ....

– En train, au départ de la gare de Lyon.

– Monsieur, vous mentez. Hier, il y a eu une grève à la SNCF, il n'y avait pas de train entre Paris et Lyon ! En plus, nous savons que vous avez une relation très intime avec M. D'ailleurs, quelqu'un vous a vu entrer dans son appartement à 22h hier soir !

10. C'est interdit !

Dites-le de plusieurs façons. Transformez comme dans l'exemple.
Exemple : Interdit de stationner.

⇨ **Le stationnement est interdit.**
Il est défendu de stationner.
Ne stationnez pas.
Il ne faut pas stationner.

1) ▪ Interdiction de faire demi-tour. .... **1)**

....

2) ▪ Vitesse limitée à 60 km/h. .... **2)**

....

3) ▪ Accès interdit aux piétons. .... **3)**

....

4) ▪ Arrêt interdit. .... **4)**

....

11. *Ne pas* **ou** *ne plus* **?**

1) ▪ – Vous vous déplacez à moto maintenant ?

– Oui, je n'ai .... de voiture.

2) ▪ – Vous n'allez .... dans ce magasin ?

– Non, il y a longtemps que je n'y vais ....

3) ▪ – Vous n'allez................. rendre visite aux Lefèvre aujourd'hui ?

– Non, je ne les vois ....

4) ▪ – Je n'ai .... trouvé de robe, mais je n'en cherche ....

5) ▪ – Vous n'allez .... chez ce coiffeur ? – Non, il ne coiffe .... bien.

6) ▪ – Bonjour. Je cherche *Les Fleurs du mal* de Baudelaire. Je n'en trouve ....

– Désolé. Je n'en ai .... Revenez demain pour voir.

7) ▪ – Avant, je travaillais beaucoup sur l'ordinateur. Mais, maintenant je ne travaille ....

autant pour protéger mes yeux.

– C'est vrai que l'ordinateur ne protège .... la vue.

8) ▪ – Ça fait longtemps que je ne t'ai .... vu, Paul. Qu'est-ce qui s'est passé ?

– Je n'habite .... ici. J'ai déménagé il y a trois mois.

Écriture

12. Les verbes en *-eler* et *-eter*.

Complétez les phrases.

1) ▪ Ne jet...... pas cette cafetière. Elle peut encore servir. Où est-ce que tu l'as ach...... ?

2) ▪ Excuse-moi. Je n'ai pas le temps. Je te rappel......rai demain.

3) ▪ Tu ach......ras tout ce qu'il faut pour dîner.

4) ▪ Épel...... : Comment ça s'écrit ?

5) ▪ Vous jet...... ce foulard ? Je vous le rach...... .

13. Biographie de Vincent Van Gogh.

À partir des éléments ci-dessous, écrivez sur une feuille séparée un texte au passé sur la vie de Vincent Van Gogh. Choisissez les éléments à mettre en valeur.

30 mars 1853	Naissance de Vincent Van Gogh aux Pays-Bas.
	Fils d'un pasteur, aîné de six enfants. À 9 ans, montre du talent
	pour le dessin.
1873	À 20 ans, travaille comme employé dans une galerie d'art, mais rêve de
	devenir pasteur. Parle hollandais, français et anglais.
1880	À 27 ans, découvre sa vocation de peintre. Part étudier la peinture dans
	l'atelier de son cousin à La Haye. Reproduit pour s'entraîner les œuvres de
	Millet, son « père spirituel » et son « modèle artistique ».
	Soutien moral et financier de son frère Théo.
1881-1886	Période hollandaise. Tableaux de paysans, *Les Mangeurs de pomme de terre*,
	premier chef d'œuvre. Nombreux échanges de lettres avec Théo, installé à Paris.
1886-1888	Van Gogh rejoint son frère, directeur d'une galerie à Montmartre.
	Rencontre avec de grands peintres : Pissarro, Gauguin…
	Influencé par ces peintres et les impressionnistes.
1888-1889	À la recherche de la lumière, il s'installe à Arles, petite ville du sud-est
	de la France. Peint de nombreux paysages. Gauguin le rejoint à sa demande.
	Dispute avec Gauguin. Internement à l'asile de Saint-Rémy-de-Provence.
	Il y peint sans relâche. Grâce à Théo, il commence à être connu et vend
	quelques tableaux.
20 mai 1890	Installation à Auvers-sur-Oise, près de Paris.
	Plus que deux mois à vivre : il peint 80 tableaux.
29 juillet 1890	Suicide de Van Gogh d'une balle de revolver.
25 janvier 1891	Mort de Théo dans une maison de santé.

14. Résumez l'ensemble de l'épisode.

Écrivez un résumé en 60 à 80 mots.

....

....

....

....

....

....

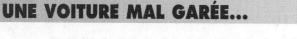

高级时装设计师

十多年以来，受到女士们青睐的克里斯蒂安·拉克鲁瓦（Christian Lacroix）不断地给高级时装领域创造惊喜。他将故乡普罗旺斯（la Provence）绚丽的色彩和明快的基调恰到好处地融入自己的创作。

今天是推出新款式的日子。在时装表演的后台随处可见克里斯蒂安·拉克鲁瓦的身影。他监督演出的准备工作，对款式细节进行修改，不难看出他还很紧张。但激动人心的那一刻到了，第一个模特已经入场。让我们陶醉在这裙裤绢绸和蕾丝花边的美好世界里吧……

现在，表演结束了。克里斯蒂安·拉克鲁瓦在模特们的簇拥下，臂挽传统压轴新娘来向观众致意。

心潮起伏的时刻，魔幻时刻……观众席报以热烈的掌声，并以此提醒世人高级时装依然是法兰西的一朵奇葩。

答案：

    1. Dans quel ordre ?

       c – b – e – a – d

    2. Que fait Christian Lacroix ?

       1), 2), 3), 5)

高级时装

尽管竞争激烈，法国高级时装的威望仍然坚不可破。伊夫·圣洛朗（Yves Saint-Laurent）、克里斯蒂安·拉克鲁瓦、蒂埃里·穆勒（Thierry Mugler），还有让-保罗·戈蒂埃（Jean-Paul Gautier），这些大师的盛名已不容置疑。同时，这一行业从不排斥国外的天才设计师，而是为之敞开大门，香奈尔（Chanel）的卡尔·拉格菲尔德（Karl Lagerfeld）和迪奥（Dior）的约翰·加利亚诺（John Galliano）这两位著名外籍时装大师就是典型的例子……

PASCAL ET LE FILS DE LA BOULANGÈRE

Vocabulaire

1. Chassez l'intrus.

1) ▪ fort – gentil – sympa – champion

2) ▪ assurer – confirmer – critiquer – affirmer

3) ▪ moyen – bas – difficile – haut

4) ▪ finir – continuer – garder – commencer

2. Associez les mots.

1) ▪ un champion   **a** ▪ de gagner

2) ▪ une ceinture   **b** ▪ de durée

3) ▪ un record   **c** ▪ en rédaction

4) ▪ un progrès   **d** ▪ noire

5) ▪ une envie   **e** ▪ de judo

3. Mots cachés.

Trouvez au moins dix mots dans la grille.

```
C O N S T R U C T I O N A
O R O O O U B H A U T C C
M E S N U E G A G N E R E
B C F O R T D M A I N S E
A O R A N G E P A I N F N
T R G N C R O I S S A N T
D E V O I R O E U F U H C
```

....

....

....

....

....

....

....

4. Trouvez les mots correspondants.

On vous donne le verbe, vous cherchez le nom correspondant et vice versa.

1) ▪ oubli   ....

2) ▪ arrêt   ....

3) ▪ gain   ....

4) ▪ assurance   ....

5) ▪ intérêt   ....

6) ▪ ....   construire

7) ▪ .... servir

8) ▪ .... aviser

Grammaire

5. *Plus, moins, aussi.*

Donnez votre opinion.

Exemple : les timides – les audacieux – sympathique

⇨ **Les audacieux sont plus/moins sympathiques que les timides.**

1) ▪ les silencieux – les bruyants – agréable

....

2) ▪ les petits bruns – les grands blonds – séduisant

....

3) ▪ les sportifs – les calmes – dynamique

....

4) ▪ les courageux – les peureux – intéressant

....

5) ▪ un kilo de coton – un kilo de fer – lourd

....

6) ▪ les chiens – les hommes – heureux

....

7) ▪ le noir – le gris – triste

....

8) ▪ Balzac – moi – écrire bien

....

9) ▪ les hommes – les femmes – travailler dur

....

10) ▪ le Soleil – la Lune – loin de la Terre

....

6. Comparez.

Comparez les programmes du soir de trois chaînes de télévision : TF1, France 3 et ARTE.

Exemple : **Sur TF1 il y a plus de...**

....

....

....

....

....

....

TF1	FRANCE 3	ARTE
- Lundi 20 h 00 Journal 20 h 55 Film (Fr) : *Un homme en colère* **- Mardi** 20 h 00 Journal 20 h 55 Film (Fr) : *Les deux papas et la maman* **- Mercredi** 20 h 00 Journal 20 h 30 Football **- Jeudi** 20 h 00 Journal 20 h 55 Série TV : *Une femme d'honneur* **- Vendredi** 20 h 00 Journal 20 h 45 Trafic infos 20 h 55 Divertissement : *Les Enfants de la télé* **- Samedi** 20 h 00 Journal 20 h 55 Divertissement : *Drôle de jeu* **- Dimanche** 20 h 00 Journal 20 h 55 Film (US) : *Jeux de guerre*	**- Lundi** 20 h 05 Jeu : le Kadox 20 h 35 Tout le sport 20 h 55 Film (Fr) : *Mais où est donc passée la 7ᵉ compagnie ?* **- Mardi** 20 h 05 Jeu : le Kadox 20 h 40 Tout le sport 20 h 55 Variétés **- Mercredi** 20 h 05 Jeu : le Kadox 20 h 40 Tout le sport 20 h 55 Magazine de reportages : *Des racines et des ailes* **- Jeudi** 20 h 05 Jeu : le Kadox 20 h 35 Tout le sport 20 h 50 Consomag 20 h 55 Film (US) : *Josey Wales hors-la-loi* **- Vendredi** 20 h 05 Jeu : le Kadox 20 h 35 Tout le sport 20 h 55 Magazine de la mer, *Thalassa* **- Samedi** 20 h 05 Série GB : *Mr Fowler* 20 h 55 Série TV : *Le Sélec* **- Dimanche** 20 h 15 Divertissement 20 h 55 Série Allemagne : *Derrick*	**- Lundi** 20 h 15 Documentaire : *La colère des eaux* 20 h 45 Film (Fr) : *Un samedi sur la Terre* **- Mardi** 20 h 15 Documentaire : *Les hommes d'acier* 20 h 45 Documentaire : *Sigmund Freud, l'invention de la psychanalyse (1)* **- Mercredi** 20 h 15 Documentaire : *La souricière* 20 h 45 Documentaire : *Sigmund Freud, l'invention de la psychanalyse (2)* **- Jeudi** 20 h 15 Documentaire : *Pour un sourire* 20 h 40 Soirée thématique : Magazine : *Que faisiez-vous en 40 ?* **- Vendredi** 20 h 15 Documentaire : *Palettes, Pablo Picasso* 20 h 45 Film (Fr-Belge) : *Le pantalon* **- Samedi** 20 h 15 Série GB (VO) 20 h 45 Documentaire : *Cruellement vôtre* *Le miracle de la vie* **- Dimanche** 20 h 15 Série GB 20 h 40 Soirée thématique : *Nick Knatterton* *Les coulisses de la pub* 20 h 45 Film (GB) : *Vous n'y résisterez pas !*

7. Comparez.

Rétablissez la vérité.

1) ▪ Éric est aussi bon en grammaire que Pascal. ....

2) ▪ Pascal est aussi fort au judo qu'Éric. ....

3) ▪ Le prof de judo est moins fort qu'Éric. ....

4) ▪ Le grand brun est plus âgé qu' Éric. ....

5) ▪ Éric est plus grand que ses camarades de classe. ....

8. Comparatif, superlatif.

Comparez les deux.

Exemple : l'avenue des Champs-Élysées – la rue Mouffetard – connu

> ➪ **L'avenue des Champs-Élysées est plus connue que la rue Mouffetard.**
>   **Des deux, l'avenue des Champs-Élysées est la plus connue.**

1) ▪ la tour Eiffel – l'Arc de Triomphe – haut

....

2) ▪ la pyramide du Louvre – la cathédrale Notre-Dame de Paris – ancien

....

3) ▪ deux peintres : Cézanne – Dufy – célèbre

....

4) ▪ deux tableaux : La Joconde – Le radeau de la Méduse – connu

....

5) ▪ le TGV – l'avion – vite

....

6) ▪ le MP4 – le MP3 – moderne

....

7) ▪ le taxi – le bus – coûter cher

....

8) ▪ le gaz – le charbon – polluer peu

....

9. Superlatifs.

Comparez les trois ordinateurs portables ci-dessous.

Exemple : **Le TO4 a le plus de mémoire vive, mais c'est l'ordinateur le plus cher.**

	MTX	**TO4**	**PB5**
Mémoire vive	48 Mo	64 Mo	32 Mo
Capacité du disque dur	2,5 Go	3,5 Go	2 Go
Poids	3kg	2,3 kg	1,9 kg
Prix	1 750 euros	2 150 euros	1 950 euros

....

....

....

....

....

....

10. Obligation ou probabilité ?

Dites s'il s'agit d'obligation (O) ou de probabilité (P).

- **1)** ▪ Les champions doivent s'entraîner régulièrement.
- **2)** ▪ La vie d'un champion doit être difficile.
- **3)** ▪ Il devait venir voir le match hier soir, mais il n'a pas pu à cause du mauvais temps.
- **4)** ▪ Vous devez faire du sport pour rester en forme.
- **5)** ▪ Deux de nos amis doivent nous rejoindre sur le court.

11. Qu'est-ce que vous voulez savoir ?

Exercice 1

Un ami vous donne des nouvelles d'un ami commun que vous n'avez pas vu depuis des années.
Vous transformez les questions directes en questions indirectes.

Exemple : Où est-il maintenant ? ⇨ **Je voudrais bien savoir où il est maintenant.**

- **1)** ▪ Est-ce qu'il va bien ? ....
- **2)** ▪ Il est marié ? ....
- **3)** ▪ Qu'est-ce qu'il lui a pris de partir sans explication ? ....
- **4)** ▪ Pourquoi ne m'a-t-il jamais écrit ? ....
- **5)** ▪ Comment est-ce que je peux reprendre le contact avec lui ? ....

Exercice 2

Vous venez d'emménager (搬入) dans un immeuble d'habitation. La concierge, prise par sa curiosité, vous pose ses questions les plus classiques. Transformez ces questions en discours rapporté et continuez la liste des questions.

- **6)** ▪ Comment vous appelez-vous ?...
- **7)** ▪ Quel âge avez-vous ?...
- **8)** ▪ Que faites-vous comme métier ?...
- **9)** ▪ Combien est-ce que vous gagnez par mois ?...
- **10)** ▪ Vous êtes déjà marié ?..
- **11)** ▪ Mais pourquoi vous ne vous mariez pas encore ?...
- **12)** ▪ (J'ai quelqu'un de très bien pour vous,) quand serez-vous libre pour un rendez-vous ?.....

....
....
....
....

Écriture

12. Orthographe : *s* ou *ss* ?

Complétez les mots.

1) ▪ Elle a acheté des boi…… ons pour nos cou……ins.

2) ▪ On est bien sur ces cou……ins de ……oie ro……e.

3) ▪ Elle est ru……ée : elle dit qu'elle est d'origine ru……e.

4) ▪ Ce ……ont des poi……ons d'eau douce.

13. Où préférez-vous vivre ?

Vous avez vécu à la campagne et à la ville. Dans une lettre adressée à un correspondant francophone,
vous comparez la vie à la ville et la vie à la campagne et vous indiquez les raisons de vos préférences.

Vivez à la campagne !	**Venez à la ville**
Pas de pollution	Réseau de transports en commun
Pas d'embouteillage	Nombreuses possibilités de travail
Vie saine, air pur	Vie culturelle riche
Pas de stress	Vie sociale développée
Vie bon marché	Grand choix de magasins
	Bonne éducation pour les enfants

....

....

....

....

....

....

....

....

C'EST LE MEILLEUR !

Vocabulaire

1. De quoi a-t-on besoin ? Qu'est-ce qu'il faut ?

Exemple : Pour jouer au foot, **on a besoin d'un maillot, d'un short, de chaussures et d'un ballon rond/il faut un maillot,...**

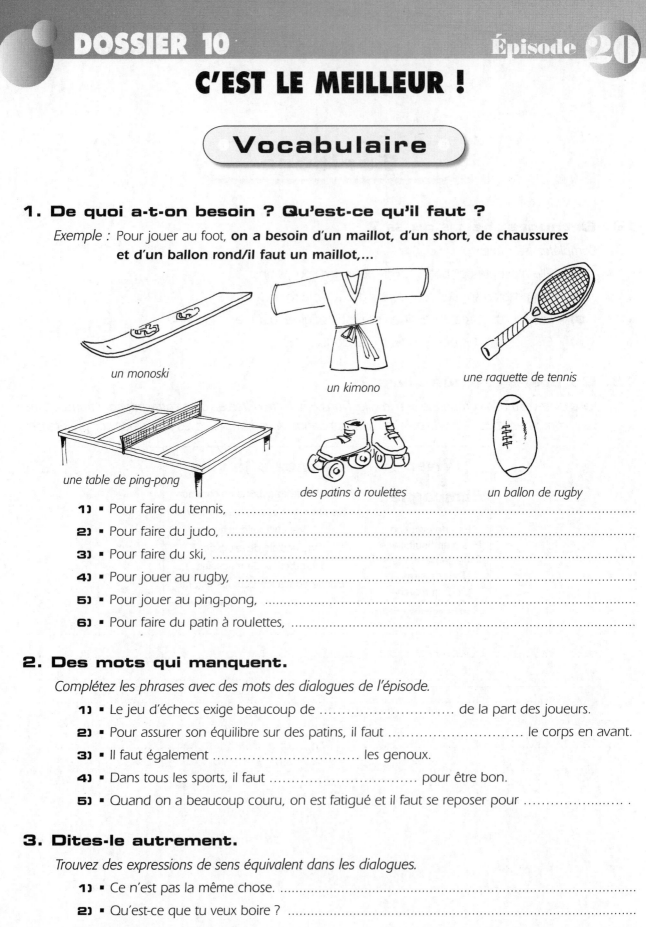

un monoski

un kimono

une raquette de tennis

une table de ping-pong

des patins à roulettes

un ballon de rugby

1) • Pour faire du tennis, ...

2) • Pour faire du judo, ...

3) • Pour faire du ski, ...

4) • Pour jouer au rugby, ...

5) • Pour jouer au ping-pong, ...

6) • Pour faire du patin à roulettes, ...

2. Des mots qui manquent.

Complétez les phrases avec des mots des dialogues de l'épisode.

1) • Le jeu d'échecs exige beaucoup de .... de la part des joueurs.

2) • Pour assurer son équilibre sur des patins, il faut .... le corps en avant.

3) • Il faut également .... les genoux.

4) • Dans tous les sports, il faut .... pour être bon.

5) • Quand on a beaucoup couru, on est fatigué et il faut se reposer pour ....

3. Dites-le autrement.

Trouvez des expressions de sens équivalent dans les dialogues.

1) • Ce n'est pas la même chose. ....

2) • Qu'est-ce que tu veux boire ? ....

3) • Pas besoin de t'excuser. ....

4) • Ça va mieux ? ....

5) ▪ Je crois que j'ai perdu la main. ....

4. Formez des couples de mots en opposition de sens.

Exemple : **attaquant – défenseur**

1) ▪ gagner – reculer – lancer – ouvrir – allumer – fermer – commencer par – attraper – terminer par – perdre – avancer – éteindre

....

....

2) ▪ facile – maladroit – content – jeune – fort – difficile – faible – mécontent – âgé – adroit

....

....

Grammaire

5. Quels sont ces sports ?

Choisissez entre le judo, la marche, le tennis.

1) ▪ Quel sport exige plus d'adresse que de force ? ....

2) ▪ Lequel demande plus d'endurance que de concentration ? ....

3) ▪ Quel sport exige plus de réflexes que de réflexion ? ....

4) ▪ Quel jeu demande plus de concentration que d'endurance ? ....

5) ▪ Quels sports exigent beaucoup de technique ? ....

6. C'est mieux ou c'est meilleur ?

Exemple : L'eau – le lait. ⇨ **L'eau, c'est bon, mais le lait, c'est meilleur.**

1) ▪ Parler une langue étrangère – parler deux langues étrangères. ....

2) ▪ Le steak-frites – le foie gras. ....

3) ▪ Rester assis – faire du sport. ....

4) ▪ Les légumes congelés – les légumes frais. ....

5) ▪ Regarder la télévision – lire. ....

7. Comparatifs, superlatifs.

Complétez les textes.
Texte 1

Elle joue .... que lui au golf et pourtant il s'entraîne .... qu'elle. Elle a .... force que lui, mais elle a .... travaillé sa technique et elle réussit .... ses coups. Elle est .... calme que lui. Ils jouent .... souvent l'un que l'autre, mais il dit qu'il a .... chance qu'elle. En réalité, c'est elle la ....

Texte 2

Éric est .... fort que Pascal en sport, il va .... vite que lui en patins à roulettes, il marque un panier .... difficilement sur le terrain de basket. Pascal n'est pas convaincu, il préfère les jeux .... intellectuels comme les échecs. Mais malheureusement, il joue encore .... bien que le petit. Enfin, ils sont devant un jeu vidéo de foot. Cette fois, Pascal gagne .... facilement.

8. Superlatif.

Exemple : Gérard Depardieu – acteur – connu ⇨ **C'est l'acteur français le plus connu.**

1) ▪ les Champs-Élysées – avenue – prestigieuse ....

2) ▪ le Louvre – le monument – visité ....

3) ▪ la Tour d'argent – le restaurant – connu ....

4) ▪ le Printemps – le grand magasin – fréquenté ....

5) ▪ le football – sport – populaire ....

6) ▪ l'hiver – saison – froide ....

7) ▪ la Loire – fleuve – long ....

8) ▪ Monsieur X – professeur – sympathique ....

9. Le meilleur ou le pire ?

Choisissez l'activité qui vous paraît la meilleure ou la pire et dites pourquoi.
Exemple : la natation – la course à pied

⇨ **Des deux, c'est la course à pied la meilleure parce que c'est moins fatigant.**

1) ▪ le tennis – le basket ....

2) ▪ le football – le golf ....

3) ▪ la voiture – le vélo ....

4) ▪ la boxe – le judo ....

5) ▪ la moto – le saut en longueur ....

6) ▪ un jeu vidéo – le sport ....

7) ▪ l'avion – le train ....

10. Échange.

*Complétez le dialogue avec **toujours, encore** ou **pas encore**.*

1) ▪ – Tu joues .... au tennis ?

2) ▪ – Oui, mais je n'ai .... joué cette semaine.

3) ▪ – Tu as .... gagné ton dernier match ?

4) ▪ – Oui, mais j'ai .... eu beaucoup de chance.

5) ▪ – Je me demande .... comment tu fais pour être aussi bon !

6) ▪ – Ben, je m'entraîne .... sans relâche.

7) ▪ – Tu es .... avec le même entraîneur ?

8) ▪ – Non, mais je n'ai .... trouvé un meilleur.

11. Articles définis devant les parties du corps.

Complétez le texte.

Il lève ...... bras, puis il penche ...... corps en avant. Il touche le sol avec ...... doigts, sans plier ...... jambes. Ensuite, il se redresse et il baisse ...... bras. Il tourne ...... tête à droite, puis à gauche sans tourner tout ...... corps. Pendant tout ce temps, il garde ...... yeux fixés sur le professeur.

Écriture

12. Orthographe et prononciation.

*Lisez ces phrases et soulignez les **e** qui peuvent ne pas être prononcés.*

1) ▪ Je prends le petit déjeuner à sept heures.

2) ▪ Plie le genou gauche.

3) ▪ Je te l'ai montré pour que tu le corriges.

4) ▪ C'est ce que je fais le matin.

5) ▪ Je te dis de ne pas le faire.

13. Résumé.

1) Mettez ces photos dans l'ordre de l'histoire.

2) Écrivez un court commentaire à propos de chacune de ces photos.

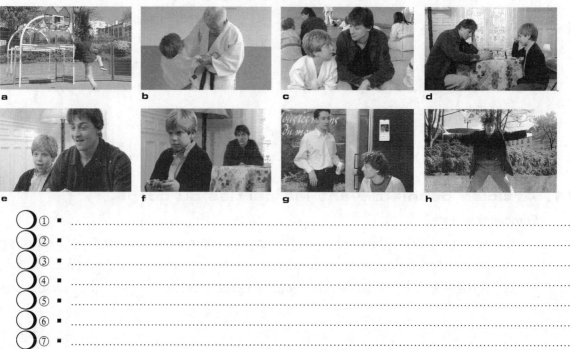

① ▪ ....

② ▪ ....

③ ▪ ....

④ ▪ ....

⑤ ▪ ....

⑥ ▪ ....

⑦ ▪ ....

⑧ ▪ ....

3) Sur une feuille séparée, écrivez un résumé en 60 à 80 mots.

14. Écrivez un article.

D'après les titres et les sous-titres de journaux suivants, écrivez un texte sur le match de football gagné par l'équipe de France.

根据下面报刊文章的标题和副标题，写一篇关于法国队在一场足球比赛中取胜的短文。

3 beaux buts et la France gagne !
Une victoire difficile, mais méritée.

La victoire était impérative !
Victoire de l'équipe de France à Moscou.

3 À 2 ! ENFIN UN SUCCÈS !
Mais un pénalty manqué et des adversaires qui pouvaient égaliser.

La France s'impose par 3 buts à 2 à Moscou
Les Russes, excellents techniciens.

....

....

....

....

....

文化点滴

70%的人参加体育锻炼

在周末或假期进行体育锻炼的人可以选择步行，到乡村骑马，或到荒山上滑雪。

但很多人选择了自行车运动，或更准确地说是山地车运动。山地车比普通自行车更现代，更适合体育锻炼。这种运动吸引着大人和小孩，正在成为家庭运动的首选。有了山地车，人们可以去探险那些未开发的、荒无人烟的地方，又不会对当地的环境造成破坏。

一种非常独特的一年一度的赛船运动，也吸引着很多爱好航行并钟情于巴黎的运动者。无论你是一名海盗，还是一个贡多拉船夫，都可以参加这项赛船运动。届时你就可以划着桨顺塞纳河而下。你单枪匹马在水上奋力挥桨，同时可以尽情地欣赏沿途上的艾菲尔铁塔（la tour Eiffel）、巴黎圣母院（Notre-Dame）、圣路易岛（île de Saint-Louis）、西岱岛（île de la Cité），以及塞纳河上那一座座美丽的桥梁……

答案：

1. Exercez votre mémoire.

1) Il s'agit de sports de loisir.

2) La marche, l'équitation, le ski, le VTT et le canotage.

3) Le VTT, parce qu'il se pratique en famille, sur tous les terrains, et permet d'explorer des lieux sauvages.

4) Vélo tout terrain.

5) Une fois par an.

世界杯足球赛

1998年世界杯足球赛（la Coupe du monde de football, le Mondial de football）于1998年6月10日至7月12日举行，法国打败卫冕冠军、夺冠热门巴西，取得了最终的胜利。世界杯期间，在10个体育场进行了64场比赛。世界上有近二十亿电视观众收看了在巴黎附近的圣-德尼（Saint-Denis）法兰西体育场（le Stade de France）进行的世界杯决赛。

法兰西体育场是为举办世界杯而修建的，用了不到三年时间建成。透明穹顶同协和广场（la place de la Concorde）一样大（占地6公顷），重达13吨！里面可容纳八万观众。

环法自行车赛

环法自行车赛（le Tour de France）是最著名的分段自行车赛。

环法自行车赛每年7月举行，世界上最优秀的自行车运动员都会积极参加该比赛，比赛赛程近4 000公里。

1. Un mauvais souvenir !

Complétez avec les verbes entre parenthèses. Choisissez entre le passé composé et l'imparfait.

Ce (être) .... il y a un an. Nous (passer) ....

l'été à la campagne. Nous (faire) .... souvent des sorties en voiture.

Nous (visiter) .... des châteaux et de vieux villages. Il (faire)

.... beau. Tout (aller) .... bien. Un jour,

cependant, notre voiture (tomber) .... en panne en pleine campagne.

Il n'y (avoir) .... personne et le premier village (se trouver)

.... à plusieurs kilomètres ! Nous ne (avoir) .... pas

de téléphone portable. Nous (discuter) .... et c'est moi qui (devoir)

.... aller chercher un garagiste, sous le soleil. Je m'en souviendrai

longtemps de cette balade à la campagne !

2. De quel avis êtes-vous ?

1) Vous êtes du même avis. Dites-le.

Exemple : – Je n'ai pas acheté de vêtements samedi dernier.

⇨ **– Moi non plus.**

a ▪ – Je ne lui écris plus. – ....

b ▪ – Je les vois souvent. – ....

c ▪ – J'aime être habillée à la mode. – ....

d ▪ – Je déteste conduire dans Paris. – ....

e ▪ – J'ai eu mon permis de conduire du premier coup. – ....

2) Vous êtes d'avis contraire. Reprenez les phrases ci-dessus.

a ▪ ....

b ▪ ....

c ▪ ....

d ▪ ....

e ▪ ....

3. Imparfait ou passé composé ?

Complétez les phrases avec les verbes entre parenthèses.

1) ▪ Quand ils (entrer) ...., tout le monde (se lever)

....

2) ▪ Quand il (faire) .... beau, ils (aller) ....
se promener à la campagne.

3) ▪ L'an dernier, je (aller) .... plusieurs fois au théâtre.

4) ▪ Hier, on les (attendre) .... pendant deux heures.

5) ▪ Le mois dernier, quand nos amis (venir) ...., il (neiger)
.... encore.

4. Pronoms démonstratifs.

Complétez les phrases.

1) ▪ – Regarde ces voitures. Tu aimes .... de droite ?

– Non, je préfère .... de la vitrine.

– C'est la plus belle de toutes .... de cette salle d'exposition.

2) ▪ – Tiens, voilà des chaussures pour toi. ...., tu les aimes ?

– Non, ... me paraissent mieux.

– Je suis déçue. Je pensais que tu aimais ....

5. Expression de durée.

*Compétez les phrases suivantes avec **depuis, pendant, il y a, ça fait...que, dans** et **en***.

1) ▪ Le concert a commencé .... une demi-heure.

2) ▪ .... dix ans, toutes ces vieilles maisons disparaîtront malheureusement de la carte de notre ville.

3) ▪ J'ai pleuré .... tout le film.

4) ▪ Obélix peut avaler un sanglier .... vingt secondes.

5) ▪ Il n'a pas plu .... trois mois déjà !

6) ▪ Hélène a rencontré une amie d'enfance .... trois mois. Elles ne se sont pas vus .... cinq ans.

7) ▪ .... deux heures .... je t'attends, qu'est-ce que tu fabriques ?

6. Comparatif et superlatif.

Complétez ce dialogue entre un pessimiste et un optimiste avec le comparatif et le superlatif.

P : Je suis l'homme .... (laid) du monde.

O : Mais qu'est-ce que tu racontes ! À mon avis, si tu n'es pas .... (beau) du monde, tu es au moins .... (intelligent) que beaucoup d'autres personnes.

P : Tout le monde est .... (bon) que moi en français.

C : C'est normal, tout le monde ici est français. Mais parmi les étrangers, tu es celui qui parle .... (bien) cette langue.

P : De ma classe, je suis l'étudiant qui réfléchit .... (longtemps) avant de répondre à une question.

C : C'est pour ne pas dire des bêtises ! Ça veut dire que tu es celui qui agit avec .... (beaucoup de) responsabilité que les autres, même dans la vie. Les autres devraient réfléchir .... (beaucoup) que toi avant d'agir.

P : Je mange .... (souvent) que les autres étudiants étrangers à la française. Je m'adapte .... (facilement) que les autres à la vie en France.

C : C'est parce que tu es .... (fidèle) qu'eux à ta culture d'origine. Ça veut dire que dans la vie sentimentale tu seras .... (constant) de tout le monde.

P : J'ai trop de problèmes dans ma vie.

C : Écoute. On a tous .... (beaucoup de) problèmes les uns que les autres. La vie est .... (difficile) et .... (sympathique) avec tout le monde.

P : Mais de tout le monde, c'est moi qui ris .... (peu) et qui me plains .... (beaucoup).

C : Ah ça...

UN REMPLACEMENT IMPRÉVU

Vocabulaire

1. Mettez les mots en contexte.

*Complétez les phrases avec les verbes suivants : **se soigner – se documenter – s'occuper de – se servir de – se réveiller.***

1) ▪ Vous savez ………………………… d'un ordinateur ?

2) ▪ Vous ………………………… quand vous êtes malade ?

3) ▪ Ils pourront ………………………… de bonne heure demain matin ?

4) ▪ Benoît pourra ………………………… des urbanistes brésiliens.

5) ▪ Benoît devra ………………………… sur la Défense en quelques heures.

2. Chassez l'intrus.

Dites pourquoi vous éliminez un des mots.

1) ▪ se réveiller – se recoucher – se tenir au courant – se relever

……………………………………………………………………………………………………

2) ▪ ira – devrez – trouvez – aura

……………………………………………………………………………………………………

3) ▪ des jaloux – des urbanistes – des heureux – des nouveaux

……………………………………………………………………………………………………

4) ▪ sculpture – parvis – tableau – concerto

……………………………………………………………………………………………………

3. Définitions.

Trouvez les mots.

1) ▪ Il faut en faire avant de construire. …………………………

2) ▪ Leur travail consiste à imaginer des villes fonctionnelles, belles et agréables à vivre.

…………………………

3) ▪ C'est un artiste qui crée des objets d'art en trois dimensions avec des matériaux solides.

…………………………

4) ▪ On y trouve beaucoup de magasins, de cinémas, de restaurants. …………………………

4. Ce sont des contraires.

Associez les contraires.

jour – raccrocher – confiance – malade – s'impatienter – commencer – nuit – rater – meilleur – en forme – décrocher – terminer – méfiance – réussir – pire – patienter

……………………………………………………………………………………………………

……………………………………………………………………………………………………

……………………………………………………………………………………………………

Grammaire

5. *Personne de*, *rien de* **+ adjectif.**

Répondez à la question. Utilisez un pronom indéfini dans la réponse.

Exemple : – Vous avez trouvé des solutions nouvelles ?

⇨ **– Non, nous n'avons rien trouvé de nouveau.**

1) ▪ – Vous avez parlé à des gens connus ? – ....

2) ▪ – Vous avez parlé de problèmes importants ? – ....

3) ▪ – Vous avez acheté des choses utiles ? – ....

4) ▪ – On vous a proposé des solutions valables ? – ....

5) ▪ – Vous avez rencontré des gens compétents ? – ....

6) ▪ – Vous avez trouvé des informations nouvelles ? – ....

7) ▪ – On vous a proposé un verre moins cher ? – ....

8) ▪ – Vous avez reçu des clients plus importants ? – ....

6. Faites correspondre l'infinitif et le futur simple.

1) ▪ serai   **a** ▪ savoir

2) ▪ aurai   **b** ▪ devoir

3) ▪ irai   **c** ▪ faire

4) ▪ devrai   **d** ▪ être

5) ▪ verrai   **e** ▪ vouloir

6) ▪ pourrai   **f** ▪ avoir

7) ▪ ferai   **g** ▪ voir

8) ▪ saurai   **h** ▪ pouvoir

9) ▪ voudrai   **i** ▪ aller

7. Futur simple.

Ces gens vont partir en vacances en voiture. Qu'est-ce qu'ils feront avant de partir ?

1) ▪ Faire le plein d'essence.

....

2) ▪ Ranger la maison.

....

3) ▪ Débrancher les appareils électroniques.

....

4) ▪ Sortir la voiture du garage.

....

5) ▪ Mettre les valises dans la voiture.

....

6) ▪ Fermer les portes et les fenêtres.

....

7) ▪ Ne pas oublier leur carte de crédit et les papiers de la voiture.

....

8) ▪ Conduire le chien au foyer des animaux.

....

8. *Faire* + **infinitif.**

Exemple : Visiter la Défense. (Benoît)

⇨ **Ils doivent visiter la Défense. Benoît leur fera visiter la Défense.**

1) ▪ Rencontrer des collègues français. (Les gens de l'agence)

....

2) ▪ Voyager en province. (Nous)

....

3) ▪ Prendre le TGV. (On)

....

4) ▪ Écrire un rapport de visite. (Leur ministère)

....

5) ▪ Appeler les étudiants. (Benoît)

....

6) ▪ Ouvrir le paquet. (Nicole)

....

7) ▪ Entrer dans le bureau. (On)

....

8) ▪ Raccrocher les téléphones. (Benoît)

....

9. Passé ou futur ?

Complétez le dialogue avec des verbes au passé ou au futur.

– Tu te souviens ? On (être) .... en Italie l'année dernière à la même
époque.

– Oui, avec les Lejeune. Nous (s'entendre bien) .... avec eux.

– Où (aller) .... -nous l'an prochain ?

– Tu penses qu'ils (vouloir) .... faire un nouveau voyage avec nous ?

– Pourquoi pas ? Nous (voir) ....

– Eh bien, nous leur (proposer) .... de repartir ensemble quand ils (venir) .

....

– Pendant qu'ils (être) .... chez nous, on (pouvoir) ....

même décider du pays à visiter.

– Si ça les (intéresser) ...., je suis sûr que tu (avoir) ....

beaucoup d'idées !

10. *Venir de.*

Dites ce qu'ils viennent de faire.

1) ▪ ....

2) ▪ ....

3) ▪ ....

4) ▪ ....

11. **Savez-vous vous servir d'un téléphone ?**

1) Mettez ces instructions dans le bon ordre.

    ◯ **a** ▪ Composez le numéro.

    ◯ **b** ▪ Attendez la sonnerie.

    ◯ **c** ▪ Parlez à votre correspondant.

    ◯ **d** ▪ Insérez votre carte de téléphone dans la fente.

    ◯ **e** ▪ Attendez l'apparition de la première consigne.

    ◯ **f** ▪ Décrochez l'appareil.

2) Quels sont les deux premiers chiffres à faire ?

    a ▪ pour téléphoner à Paris ? ......

    b ▪ pour obtenir un numéro à Nice ? ......

    c ▪ pour appeler quelqu'un à Strasbourg ? ......

Zone 1 :	01 + n° tél.
Zone 2 :	02 + n° tél.
Zone 3 :	03 + n° tél.
Zone 4 :	04 + n° tél.
Zone 5 :	05 + n° tél.

Écriture

12. Orthographe.

Classez ces mots selon la prononciation de la voyelle nasale.

quelqu'un – temps – pigeon – bien – brun – client – loin – lent – faim – commun – quand – long – combien – méfiance – deuxièmement – patienter

[ɛ̃]	[ã]	[ɔ̃]
quelqu'un	temps	pigeon

13. Qu'est-ce qui va changer ?

Vous avez, en classe (exercice 3, page 91 de votre manuel), interviewé votre voisin(e) pour savoir ce qui va changer dans votre pays. Reprenez vos idées, ainsi que d'autres, et écrivez un article d'une centaine de mots sur le sujet.

....

....

....

....

....

....

VIVE LE TÉLÉPHONE PORTABLE !

Vocabulaire

1. On recommence !

*1) Cherchez des verbes qui commencent par **re-** ou **r-** et qui indiquent une action répétée.*
Exemple : **rappeler**

....

....

2) Pour marquer la répétition, transformez les verbes suivants.

a ▪ partir   ....

b ▪ se coucher   ....

c ▪ se lever   ....

d ▪ monter   ....

e ▪ voir   ....

f ▪ venir   ....

2. Définissez.

Faites une phrase pour expliquer ce que c'est. Utilisez un pronom relatif.
Exemple :

 ⇨ **C'est un monument qui se trouve à Paris.**

1)   **2)** *Arche de la Défense*   **3)**   **4)**

5)   **6)**   **7)**   **8)**

1) ▪ ....

2) ▪ ....

3) ▪ ....

4) ▪ ....

5) ▪ ....

6) ▪ ....

7) ▪ ....

8) ▪ ....

3. Définissez les adjectifs en -able.

Exemple : un téléphone portable ⇨ **C'est un téléphone qu'on peut porter.**

1) ▪ une histoire incroyable ....

2) ▪ un souvenir inoubliable ....

3) ▪ des voitures comparables ....

4) ▪ un travail faisable ....

5) ▪ une viande immangeable ....

6) ▪ une préparation indispensable ....

7) ▪ un comportement méprisable ....

8) ▪ une secrétaire infatigable ....

9) ▪ un succès inimaginable ....

10) ▪ une proposition acceptable ....

Grammaire

4. *Dans* + expression de temps.

Exemple : – Il est 10 heures. Olivier doit bien arriver à 10 heures et quart ?
    ⇨ **– Oui, il arrivera dans un quart d'heure.**

1) ▪ – Et toi, tu seras là quand ? À la demie ? – ....

2) ▪ – Tu viendras aussi la semaine prochaine ? – ....

3) ▪ – Et Louis nous rejoindra le mois prochain, c'est ça ? – ....

4) ▪ – Tu referas une fête l'année prochaine, pour l'anniversaire de Mélanie ? – ....

5) ▪ – On est fin août. Tu reviendras nous voir au premier de l'an ? – ....

6) ▪ – Tu pars en week-end à la Toussaint ? – ....

5. Futur simple ou *aller* + infinitif.

*Complétez cette conversation avec des verbes au futur simple ou avec **aller** + infinitif.*

– Vous (partir) .... en vacances à Noël ?

– On y pense. On (aller) .... peut-être aux sports d'hiver. Pourquoi ?

– Nous, on (partir) .... sans doute aux Antilles.

– Ce n'est pas vrai ?

– Si. On a des amis qui nous (prêter) .... sans doute leur maison.

– Pourquoi tu dis « sans doute » ? Ce n'est pas sûr ?

– Nicolas (demander) .... des vacances à son patron.

J'espère qu'il n'y (avoir) .... pas de problème.

– Et vous le (savoir) .... quand ?

– On (connaître) .... la réponse dans quelques jours.

– Et la maison de tes amis, elle est grande ?

– Je crois, oui. Pourquoi ?

– Parce qu'on (avoir) .... plus chaud aux Antilles qu'à la montagne !

6. Pronoms relatifs.

Complétez le texte avec les relatifs **qui, que, où**.

La France est un pays .... les innovations technologiques sont quelquefois lentes à

se répandre. Le téléphone mobile, ... a démarré assez lentement, s'est pourtant

développé assez rapidement dès 1997. Spécificité française, le Minitel, ...

existe depuis plus de douze ans, équipe encore près d'un tiers des ménages. C'est pourquoi la

France est le pays .... les services en ligne sont les plus utilisés.

L'ordinateur multimédia, ... de plus en plus de familles possèdent, favorise les ventes

de CD-Rom .... augmentent régulièrement chaque année. Avec l'importance

.... a prise le réseau Internet, le nombre de ceux .... sont abonnés à un

serveur est comparable à celui .... connaissent d'autres pays développés. On

considérait que les services .... apporte le réseau à des non-techniciens restaient

insuffisants. Avec les encouragements .... a donnés le gouvernement, on a effectué

un rattrapage rapide.

7. Mise en valeur.

Mettez en valeur les mots soulignés. Utilisez **c'est… que, c'est… qui**.
Exemple : J'ai l'intention de <u>leur</u> offrir ce cadeau.

> ⇨ **C'est à eux que j'ai l'intention d'offrir ce cadeau.**

1) ▪ Je veux <u>le</u> voir. ....

2) ▪ <u>Tu</u> feras les courses. ....

3) ▪ Je veux <u>leur</u> parler. ....

4) ▪ Je voudrais visiter <u>ce quartier</u>. ....

5) ▪ Je voudrais <u>la</u> remercier. ....

8. Pronoms relatifs.

Pensez à un endroit, une ville et un pays que vous connaissez bien et terminez les phrases.

1) ▪ C'est un endroit qui ....

      que ....

      où ....

2) ▪ C'est une ville qui ....

que ....

où ....

3) ▪ C'est un pays qui ....

que ....

où ....

9. Petite histoire.

Utilisez : se sentir mieux – aller mieux – se soigner – prendre des médicaments.

....

....

....

....

....

10. Que doit-il faire ?

Remplacez le complément par un pronom ou un adverbe.

Exemple : – Benoît est allé au rendez-vous avec les urbanistes ?

⇨ **– Non, il n'y est pas allé. Mais, il ira.**

*Attention ! Pas de **y** avant **ira** et les formes du futur de **aller**.* 注意：在动词aller的简单将来时变位形式前不可出现y。

1) ▪ – Benoît s'est occupé des urbanistes ? – ....

2) ▪ – Il s'est occupé aussi des billets d'avion des parents de son amie ? – ....

3) ▪ – Benoît et les urbanistes sont montés en haut de la Grande Arche ? – ....

4) ▪ – Julie a téléphoné à Benoît ? – ....

5) ▪ – Benoît a fait les courses ? – ....

6) ▪ – Benoît a pensé à éteindre son portable pendant la visite ? – ....

7) ▪ – C'est de Julie que vous parlez ? – ....

8) ▪ – Tu crois à la réincarnation ? – ....

11. Orthographe.

*On forme le contraire de certains adjectifs en utilisant le préfixe **in-** ou **im-**.*
Écrivez le contraire des adjectifs suivants.
Exemples : complet ≠ **incomplet**
         probable ≠ **improbable**

1) ▪ juste ≠ ....

2) ▪ utile ≠ ....

3) ▪ patient ≠ ....

4) ▪ prudent ≠ ....

5) ▪ discret ≠ ....

6) ▪ parfait ≠ ....

7) ▪ poli ≠ ....

8) ▪ prévu ≠ ....

9) ▪ exact ≠ ....

10) ▪ fini ≠ ....

11) ▪ possible ≠ ....

12) ▪ faisable ≠ ....

13) ▪ dispensable ≠ ....

14) ▪ défini ≠ ....

12. Ils font des projets.

Vous avez organisé les vacances de Noël de la famille. Vous écrivez à des amis pour leur parler de vos projets. Utilisez les indications ci-dessous.

Lieu de vacances : Chamonix.
Date d'arrivée : le 21 décembre.
Moyen de transport : le TGV.
Logement : Hôtel des Alpes.

Repas : Restaurant des cimes.
Excursions prévues : les 22 et 27 décembre.
Départ : de Chamonix le 2 janvier.
Retour : à Paris le 2 janvier dans la soirée.

....

....

....

....

....

....

....

13. Poésie.

Lisez ce poème de Jacques Prévert et ajoutez quelques vers avec des pronoms relatifs.

Le message

La porte que quelqu'un a ouverte ....

La porte que quelqu'un a refermée ....

La chaise où quelqu'un s'est assis ....

Le chat que quelqu'un a caressé ....
Le fruit que quelqu'un a mordu ....
La lettre que quelqu'un a lue ....
La chaise que quelqu'un a renversée ....
La porte que quelqu'un a ouverte ....
La route où quelqu'un court encore ....
Le bois que quelqu'un traverse ....
La rivière où quelqu'un se jette ....
L'hôpital où quelqu'un est mort. ....

JACQUES PRÉVERT, *Paroles*, © Éditions Gallimard, 1947.

Restituez, avec vos propres mots, l'histoire que raconte ce poème.

....
....
....
....

文化点滴

变化中的城市

噪音太大、人口太多、污染太严重，这些都是城市人对他们城市提出的批评。不过，各市政府正在想方设法在这些老大难问题上提供令人满意的回答。如在伊西莱穆利诺市（Issy-Les-Moulineaux），为了向市民提供宁静安全的空间，就设立了若干个步行街区。

私人府邸、列为文化遗产的楼房、从上世纪三十年代起直到今天建造的低租金住房、现代高级住宅楼、商住两用高层建筑，这些不同的建筑共同形成了一个千姿百态、日新月异的巴黎。

最明显的例子就是法国国家图书馆所处的、正在改造中的巴黎十三区。那里，林立的吊车甚至可以与周围的摩天大厦一比高低。城区的面貌就这样在拆毁和新建中得到新生。

再看这幢建筑，待改建完工之后，将成为新的海军博物馆。

城市生活的改善也可以来源于一些小的创意。如在埃罗省（Hérault）的凯拉尔（Cailar）小镇，一个当地的艺术家就萌生了一个不错的想法——把镇上的指路牌变成了艺术品。你想找理发店？找水泥工？在地图上定位？这些都变成了一种乐趣……，一个充满童趣的游戏！

答案：

1. Qu'est-ce que vous avez entendu à Paris ?

1) b, d, f, g

2) b, c, d, f

2. Les villes bougent.

1) Le centre d'Issy-les-Moulineaux aménagé pour les piétons, le 13e arrondissement de Paris autour de la bibliothèque François-Mitterrand, le village de Cailar dans le sud de la France (l'Hérault).

2) Cailar, à cause de sa taille. On voit que c'est un village.

3) Elle a créé des zones piétonnes.

4) Un peintre a décoré les panneaux de signalisation du village.

5) On démolit et on reconstruit pour réhabiliter la rive gauche de la Seine.

里昂市（Lyon）位于罗纳河（le Rhône）与其支流索恩河（la Saône）的汇合处。从罗马人统治时期起一直都是自然交通要道的枢纽，将法国中部与东部、瑞士与意大利、还有北欧国家与地中海（la Méditerranée）连接在一起。拥有1 100万人口的里昂目前是法国第二大城市。这个昔日古高卢的首都如今是罗纳-阿尔卑斯（Rhône-Alpes）行政大区的首府。

今天，距巴黎仅两小时高速火车行程的里昂依靠它众多的医药实验室和石化厂成为了法国一大工业中心。里昂不仅拥有充满活力的大学，还云集了国内最大的科研中心。

50 FOULARDS OU RIEN !

Vocabulaire

1. Équivalences.

Associez les expressions de sens équivalent.

1) ▪ se promener		**a** ▪ se rendre compte de
2) ▪ rejoindre		**b** ▪ mettre fin à ses relations avec
3) ▪ se décommander		**c** ▪ exercer une profession
4) ▪ s'apercevoir de		**d** ▪ aller retrouver
5) ▪ faire un métier		**e** ▪ annuler un rendez-vous
6) ▪ se fâcher avec		**f** ▪ faire un tour

2. Nom ou adverbe ?

*Dites si les mots ci-dessous sont des noms **(N)** ou des adverbes **(Adv)** et indiquez le mot qui a servi à les composer.*

*Exemple : avancement **(N)** → **avancer**; bruyamment **(Adv)** → **bruyant**.*

1) ▪ pareillement (......) →.................................

2) ▪ arrangement (......) →.................................

3) ▪ évidemment (......) →.................................

4) ▪ découragement (......) →.................................

5) ▪ méchamment (......) →.................................

6) ▪ perfectionnement (......) →.................................

7) ▪ déménagement (......) →.................................

8) ▪ rapidement (......) →.................................

9) ▪ entraînement (......) →.................................

10) ▪ librement (......) →.................................

3. Trouvez le mot.

Lisez la définition et trouvez le mot qu'elle définit.

1) ▪ Il a une galerie ou une boutique. Il vend des meubles et des objets anciens.

→.................................

2) ▪ Il est situé au nord de Paris. Il est ouvert du vendredi au lundi. Il est composé de galeries et de boutiques d'antiquités. →.................................

3) ▪ Il sert à présenter un exemple de séries d'objets à vendre. →.................................

4) ▪ C'est une période de l'art moderne qu'on situe autour de 1930.

→.................................

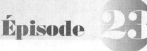
5) ▪ C'est la période de la vie qui succède à la période professionnelle active.

→.................................

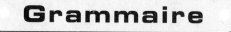

Grammaire

4. Formes du subjonctif.

Pour chacun des infinitifs suivants, donnez les premières personnes du singulier et du pluriel du subjonctif présent.

Exemple : faire ▷ **Que je fasse, que nous fassions.**

1) ▪ aller ....

2) ▪ pouvoir ....

3) ▪ être ....

4) ▪ avoir ....

5) ▪ vouloir ....

6) ▪ savoir ....

5. Obligation.

Qu'est-ce que ces personnes doivent faire (avoir le sens des responsabilités, prendre des initiatives, connaître des langues, savoir diriger une équipe, avoir le sens de l'organisation, être patient(e), être bon gestionnaire, savoir utiliser l'outil informatique…) ?

Exemple :

▷ **Il faut qu'elle arrive à l'heure,**
qu'elle range la boutique,
qu'elle soit aimable avec les clients,
qu'elle fasse des paquets...

1) ▪ *l'antiquaire*   **2)** ▪ *la secrétaire*   **3)** ▪ *le PDG*

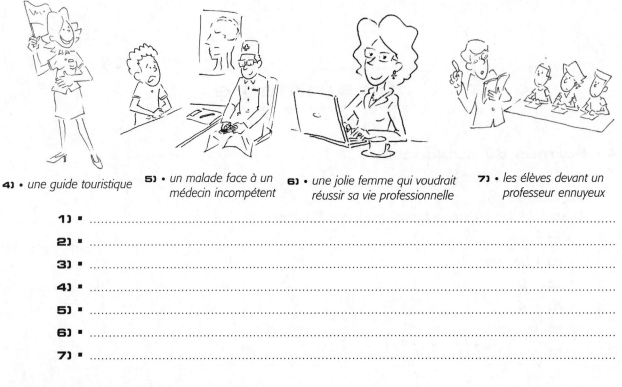

4) • *une guide touristique* **5)** • *un malade face à un médecin incompétent* **6)** • *une jolie femme qui voudrait réussir sa vie professionnelle* **7)** • *les élèves devant un professeur ennuyeux*

1) ▪ ....

2) ▪ ....

3) ▪ ....

4) ▪ ....

5) ▪ ....

6) ▪ ....

7) ▪ ....

6. *Vouloir* + infinitif.

Le sujet du verbe **vouloir** *et celui du deuxième verbe sont les mêmes.*

Exemple : Nous – aller au théâtre.

⇨ **Nous voulons aller au théâtre.**

1) ▪ Toi – assister à la fête. ....

2) ▪ Vous – choisir un thème. ....

3) ▪ Lui – décorer sa boutique. ....

4) ▪ Elle – rapporter des commandes. ....

5) ▪ Eux – te donner un coup de main. ....

7. Subjonctif ou infinitif ?

Complétez les phrases avec les verbes indiqués à la forme qui convient.

1) ▪ (revenir) – Je veux que tu .... avant huit heures.

– Je suis désolé, mais je ne peux pas .... avant huit heures.

2) ▪ (choisir) – Je sais, mais elles ne veulent pas les .... tout de suite.

– Il faut qu'elles .... leurs dates de vacances dès maintenant.

3) ▪ (prendre) – Nous voulons que vous .... une décision rapidement.

– Je ne veux pas .... de décision rapide.

4) ▪ (s'intéresser) – Elle ne veut pas .... à son travail.

– Je voudrais qu'elle .... un peu plus à son travail.

5) ▪ (savoir) – Il faut que nous .... ce qui s'est passé.

– Nous ne voulons pas .... ce qui s'est passé.

8. Mise en valeur.

Transformez les phrases comme dans les exemples.

Exemples : Il cherchait <u>ce motif</u>. ➪ **C'est ce motif qu'il cherchait.**

Les foulards sont dans <u>cette boutique</u>. ➪ **C'est la boutique où sont les foulards.**

1) ▪ Il lui reste <u>ce foulard</u>.

....

2) ▪ Elle vend bien <u>ces objets</u>.

....

3) ▪ Sa spécialité est <u>l'Art déco</u>.

....

4) ▪ Sa galerie est <u>dans ce marché</u>.

....

5) ▪ <u>Son frère</u> vend de l'art contemporain.

....

9. Formes verbales.

Mettez les verbes entre parenthèses au temps et au mode qui conviennent.

La moitié des Français (déclarer) .... qu'ils (pratiquer) ....

une activité artistique. Ces activités (se développer) .... régulièrement

surtout depuis les années 70. Les parents (vouloir) .... que leurs enfants

(faire) .... de la musique, de la danse, des arts plastiques. De plus, ceux

qui (pratiquer) .... ces activités (devenir) .... plus

éclectiques. Ils (souhaiter) .... souvent (passer) ....

d'une activité à l'autre. Il est possible aussi que la diminution du temps de travail

(laisser) .... plus de temps libre. Mais la raison principale de ces

changements (sembler) .... (être) .... que les gens

(essayer) .... d'équilibrer des activités professionnelles et personnelles et

qu'ils (avoir) .... un plus grand besoin de réalisation personnelle.

10. Quelle est la raison ?

*Donnez à chaque fois trois réponses : la première avec **parce que** + indicatif, la deuxième avec **pour** + infinitif, la troisième avec **pour que** + subjonctif.*

1) ▪ Pourquoi Mme Dutertre doit-elle aller à Bordeaux ?

    a ▪ (Volonté de son mari.) ....

    b ▪ (Ouverture d'une boutique.) ....

    c ▪ (Faire plaisir à son mari.) ....

2) ▪ Pourquoi M. Lesage veut-il que Julie passe à sa galerie ?

    a ▪ (Préparation de la fête annuelle.) ....

    b ▪ (Commande de foulards.) ....

    c ▪ (Décoration de sa galerie.) ....

3) ▪ Pourquoi M. Lesage a-t-il besoin de cinquante foulards ?

    a ▪ (Fête annuelle proche.) ....

    b ▪ (Création d'une ambiance 1930.) ....

    c ▪ (Couvrir les murs.) ....

Écriture

11. Orthographe.

Faites l'accord du participe passé.
Exercice 1 :

    1) ▪ Ces fleurs, je les ai cherché...... .

    2) ▪ Ce sont des matières qu'on nous a demandé...... .

    3) ▪ Ces meubles, je les ai acheté...... il y a longtemps.

    4) ▪ Cette veste, je ne l'ai pas mis...... depuis un an.

    5) ▪ C'est une recette qu'un ami m'a donné...... .

Exercice 2 : Complétez cet extrait de La vie devant soi *de Romain Gary avec le temps correct pour chaque verbe.*

La première chose que je (pouvoir) .... vous dire c'est qu'on (habiter) .... au sixième à pied et que pour Madame Rosa, avec tous ces kilos qu'elle (porter) .... sur elle et seulement deux jambes, c'était une vraie source de vie quotidienne, avec tous les soucis et les peines. [...] Je (devoir) .... avoir trois ans quand je (voir) .... Madame Rosa pour la première fois. Avant, on (ne pas avoir) .... de mémoire et on (vivre) .... dans l'ignorance. Je (cesser) .... d'ignorer à l'âge de trois ou quatre ans et parfois ça me (manquer) .... [...] Au début, je (ne pas savoir) .... que Madame Rosa s'occupait de moi seulement pour toucher un mandat à la fin du mois. Quand je (l'apprendre) ...., je (avoir) .... six ou sept ans et ça me (faire) .... un coup de savoir que j'étais payé. [...] J'en (pleurer) .... toute une nuit et ce (être) .... mon premier grand chagrin.

12. Résumez et anticipez.

Sur une feuille séparée, résumez l'épisode 23, puis imaginez une suite à partir des quatre photos suivantes.

13. Je souhaite que le monde soit ainsi...

Décrivez votre monde idéal, avec les verbes suivants : Attention au mode des verbes.

vouloir, souhaiter, aimer, espérer, penser, croire, falloir.

....
....
....
....
....
....
....
....

PRÊTS POUR LA FÊTE ?

Vocabulaire

1. Chassez l'intrus.

1) ▪ art – style – rouleau – période

2) ▪ dès que – pendant que – quand – pour que

3) ▪ thème – motif – unité – sujet

4) ▪ en tout cas – en avance – en retard – à l'heure

2. Locutions + subjonctif.

Trouvez les contraires.

1) ▪ Il est sans importance que ≠ ....

2) ▪ Il est inutile que ≠ ....

3) ▪ Il est impossible que ≠ ....

4) ▪ Il est anormal que ≠ ....

5) ▪ Nous regrettons que ≠ ....

3. Quels sont ces lieux ?

Où allez-vous si vous voulez :

1) ▪ acheter des objets anciens ? ....

2) ▪ voir des objets créés par de jeunes artistes ? ....

3) ▪ admirer des tableaux de maîtres anciens et contemporains ? ....

4) ▪ acheter des vêtements ? ....

Grammaire

4. Indicatif ou subjonctif ?

Mettez les verbes entre parenthèses au mode qui convient.

J'espère que nos amis (venir) .... nous voir bientôt.

Je ne crois pas qu'ils (pouvoir) .... venir ce mois-ci, mais je souhaite

qu'ils (venir) .... le mois prochain. Je crains cependant

qu'ils (avoir) .... quelques problèmes. Il faut que leur fils

(faire) .... un stage dans une entreprise, mais ils ont peur que,

s'ils (partir) ...., il ne (pouvoir) .... pas se débrouiller
seul. Je doute qu'ils (vouloir) .... le laisser seul à la maison.

5. Indicatif ou subjonctif ?

Exemple : Vous êtes venus.
　　　　⇨ **Je suis heureux que vous soyez venus.**

1) ▪ J'ai fait votre connaissance. J'ai été heureux ....

2) ▪ Vous avez fait bon voyage. Je suis content ....

3) ▪ On ne vous a pas assez écoutés. Je suis certain ....

4) ▪ Je suis parti trop tôt. Je regrette ....

5) ▪ Vous nous avez quittés fâchés. Je suis désolé ....

6) ▪ Il a perdu son père. Je suis triste ....

7) ▪ On lui a volé tout. Je suis étonné ....

8) ▪ Vous êtes arrivées en retard. J'ai peur ....

6. *Avoir peur que* + **subjonctif.**

C'est Julie qui parle.
Exemple : Ses copines ne seront pas libres.
　　　　⇨ **J'ai peur que ses copines ne soient pas libres.**

1) ▪ Violaine n'aura pas le temps de faire cinquante foulards.

....

2) ▪ Il n'y aura pas assez de soie.

....

3) ▪ Les foulards ne feront pas vraiment Art déco.

....

4) ▪ Les foulards ne plairont pas à M. Lesage.

....

5) ▪ La fête n'aura pas lieu.

....

6) ▪ Les clients seront mécontents de ce retard.

....

7) ▪ Il y aura des perturbations sur la ligne 7.

....

8) ▪ Les travaux ne finiront pas à temps.

....

7. Exprimez un souhait.

Exemple : Ma maison n'est pas assez confortable.
  ⇨ **Je voudrais qu'elle soit plus confortable.**

1 ▪ Mon fils ne fait pas assez de sport.

....

2 ▪ Notre fille n'est pas encore mariée.

....

3 ▪ Ma voiture n'est pas assez puissante.

....

4 ▪ Nos voisins ne sont pas aimables.

....

5) ▪ Ils garent toujours leur voiture devant notre porte.

....

6) ▪ Mes parents ne vont pas bien.

....

7) ▪ Ils écoutent toujours de la musique très fort le soir.

....

8) ▪ Mon patron me critique souvent.

....

Continuez. Trouvez d'autres sujets d'insatisfaction !

....

....

....

....

8. Exprimez le doute.

Exemple : Quelqu'un – vouloir recouvrir le Sacré-Cœur (de Montmartre).
  ⇨ **Je ne pense pas que quelqu'un veuille recouvrir le Sacré-Cœur.**

1) ▪ Pouvoir traverser l'Atlantique à la nage.

....

2) ▪ Vouloir monter à pied en haut de la tour Eiffel.

....

3) ▪ Savoir parler vingt langues parfaitement.

....

4) ▪ Traverser le Sahara à pied.

....

5) ▪ Faire deux tours du monde en avion sans escale.

....

9. Exprimez le doute.

Exemple : Amélioration de la situation générale.

➭ **Ils ne croient pas que la situation générale s'améliore.**

1) ▪ Diminution des inégalités.

....

2) ▪ Fin des guerres.

....

3) ▪ Création du monde par les États-Unis.

....

4) ▪ 15 heures de travail par semaine.

....

5) ▪ Existence du Père Noël.

....

10. Exprimez le but.

Transformez les phrases pour utiliser une proposition de but introduite par **pour** *+ infinitif ou par* **pour que** *+ subjonctif selon les cas.*

Exemple : Si vous me téléphonez, je vous en garderai une grande quantité.

➭ **Il faut me téléphoner pour que je vous en garde une grande quantité.**

1) ▪ Si je vous apporte des bijoux, vous les vendrez.

....

2) ▪ Si vous me faites cinquante foulards, je décorerai mon magasin.

....

3) ▪ Si je me décommande, je pourrai aller voir votre galerie.

....

4) ▪ Si vous me faites un bon prix, je vous les achèterai.

....

5) ▪ Si le patron augmente mon salaire, je ne démissionnerai pas.

....

6) ▪ Si je trouve un poste, je resterai à Paris.

....

7) ▪ Si on me donne un coup de main, je finirai le travail ce soir.

....

8) ▪ Si vous révisez le projet, je l'accepterai.

....

11. Expressions suivies du subjonctif.

Que faut-il faire pour apprendre le français ? Utilisez : **Il faut que, il est important que, il est nécessaire que, il est utile que, il est préférable que.**

....

....

....

Écriture

12. Les consonnes doubles.

Complétez les mots avec une ou deux consonnes.

1) ▪ di......iculté   **6)** ▪ traditio............e

2) ▪ sty......e   **7)** ▪ su......ire

3) ▪ co......ande   **8)** ▪ a......uler

4) ▪ fourni......eur   **9)** ▪ ba......re

5) ▪ ga......erie

13. Lettre à l'éditeur.

Écrivez une lettre à l'éditeur d'un journal intitulée **Il faut que ça cesse !** *sur l'un des deux sujets suivants.*

1) ▪ De nombreuses espèces animales sont en danger.

2) ▪ L'énergie atomique peut devenir un danger mortel.

....

....

....

....

....

....

....

....

14. Récit.

Écrivez un résumé, en une centaine de mots, de l'histoire de Julie, Benoît et Pascal.

....

....

....

....

....

....

....

....

文化点滴

国家遗产，文明的印记

在法国两千年的历史长河中，曾建造了数不胜数的名胜古迹，如城堡、宫殿、教堂等。

这些曾长久无人照管的名胜，今天纷纷得到维护和翻修。克雷兹省（Corrèze）的中世纪村庄Curmonte就属于这种情况，三十年前居民开始又回到村里居住。另外，通过350万法郎（约53 000欧元）的拨款和无以计数的人类聪明才智，该村庄的两座十一和十二世纪的教堂得以恢复原貌。

其他一些更著名的建筑当然更受到了政府的重视和资金资助。巴黎圣母院已有八个多世纪的历史，需要长期的维护。是这些年轻的石匠们使那些漂亮的雕塑又恢复了生机和光芒……

另一个典范是夏尔特大教堂（la cathédrale de Chartres）。修复工匠们动作准确，并结合传统技术，使教堂著名的彩绘玻璃重泛光泽。我们要感谢这些无名的艺术家，尽管他们从不在其作品上署名，但却凭借自己的技艺使教堂的圆花窗和尖顶在世界各地游客们的眼前重现光彩。

答案：

1. Qu'avez-vous vu ? Dans quel ordre ?

   f – c – b – d – e – a

2. Le savez-vous ?

1) Des terrains, des bâtiments et des œuvres d'art qu'il possède.

2) Des monuments qu'il possède : musées, palais, châteaux, hôpitaux, édifices religieux.

3) Des tailleurs de pierre et des réparateurs de vitraux.

4) Des XIe et XIIe siècles.

作为动产和艺术品，法国国家遗产的价值或许已超过了150亿欧元。卢浮宫（le musée du Louvre）收藏的30万件艺术品中，只有十分之一是向公众开放的。法国还有很多宫殿、城堡、医院和宗教建筑（76座城堡，37座教堂，21座修道院和寺院），国家要负责这些古迹的维护和修复。

每年九月，法国文化部都组织一天开放日，被称作"国家遗产日"。那一天，好奇的人们可以免费进入所有公共名胜景点和国家博物馆，并可以参观一些在其他时间禁止公众进入的、或只允许某些人进入的建筑，如总统居住的爱丽舍宫（le palais de l'Élysée）及总理府马提尼翁宫（l'hôtel Matignon）。

1. Présent ou futur ?

Mettez les verbes entre parenthèses au temps qui convient.

1) ▪ Quand tu (venir) ...., on (aller) .... visiter la Bibliothèque nationale de France.

2) ▪ Si tu (pouvoir) .... te libérer, on (assister) .... à un match au Stade de France à Saint-Denis.

3) ▪ Pendant que tu (faire) .... les courses, je (terminer) .... ce travail.

4) ▪ Si vous (partir) ...., vous n' (oublier) .... pas de fermer toutes les portes.

2. Pronoms relatifs.

*Faites des définitions avec les pronoms relatifs **qui, que** et **où**.*

1) ▪ Le café : c'est une boisson .... est amère et parfumée, ... on boit avec ou sans sucre, ... on trouve beaucoup au Brésil et .... peut nous réveiller le matin.

2) ▪ Un dictionnaire : c'est un livre .... les élèves utilisent tous les jours, ... nous trouvons l'explication de chaque mot et .... est franchement le meilleur ami de celui .... veut apprendre une langue.

3) ▪ Internet : c'est un moyen de communication .... devient de plus en plus important dans notre vie quotidienne et .... chaque jeune doit savoir utiliser ; c'est un endroit .... les gens obtiennent toutes sortes d'informations et .... ils se font des amis.

3. Accord du participe passé après un pronom relatif.

Répondez comme dans l'exemple et faites l'accord si nécessaire.
Exemple : – Nous avons vu ces gens ?
⇨ **– Oui, ce sont les gens que nous avons vus.**

1) ▪ – Nous sommes allés dans ce café ?

– ....

2) ▪ – Vous avez travaillé dans ce quartier ?

– ....

3) ▪ – Vous avez vu ces sculptures ?

– ....

4) ▪ – Vous avez rencontré ces urbanistes ?

– ....

4. Subjonctif.

Faites des phrases comme dans l'exemple.

Exemple : Il le fera, je le crois. ➪ **Je ne crois pas qu'il le fasse.**

1) ▪ Il ira, j'en ai peur.

....

2) ▪ Il viendra, j'en suis heureux.

....

3) ▪ Vas-y, c'est indispensable.

....

4) ▪ Partez, ils le souhaitent.

....

PROJET 3

L'écologie, ça vous concerne ?

Vous collaborez à la rédaction d'un magazine qui prépare un grand dossier sur l'écologie.
Ce dossier doit contenir :

1) ▪ un sondage sur ce qui inquiète le plus les lecteurs ;

2) ▪ un guide du bon citoyen écologique ;

3) ▪ une affiche avec un slogan.

Vous êtes chargé(e) d'écrire ce dossier.

SONDAGE : **Êtes-vous concerné(e) par l'écologie ?**

1 **Quand vous jetez du papier :**

   a Vous pensez aux arbres nécessaires pour la fabrication du papier.

   b La destruction des forêts est sans importance pour vous.

2 **Quand vous faites vos courses dans un supermarché :**

   a Vous prenez les sacs en plastique du supermarché.

   b Vous utilisez votre propre sac à provisions.

On divise la classe en trois groupes.
Chaque groupe est chargé de rédiger une des trois parties du dossier.

Continuez le test.

Pensez à ces quelques exemples de problèmes écologiques : la pollution de l'air en ville, le bruit, les déchets ménagers et les déchets des usines, l'utilisation des produits chimiques dans l'agriculture, les centrales nucléaires, les accidents de pétroliers et les déchets des bateaux...

Pensez aussi aux nombreuses conséquences de ces problèmes : maladies (allergies, asthme, bronchite, cancer...), disparition d'espèces animales et végétales (mort des poissons dans les rivières et dans la mer...), catastrophes écologiques...

LE GUIDE DU BON CITOYEN

Quelques gestes simples et quotidiens peuvent aider à la sauvegarde de l'environnement :

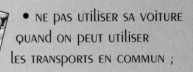

• ne pas utiliser sa voiture quand on peut utiliser les transports en commun ;

• ne pas utiliser de produits toxiques ;

• ne pas fumer dans les lieux publics ...

Trouvez d'autres idées.

PROJET 4

Réalisez un mini-guide de Paris

Vous êtes, comme Benoît, agent de voyages. Votre agence vous charge de composer une plaquette sur un aspect de Paris. Dans la vidéo et dans ce manuel, vous avez découvert quelques aspects de Paris. Mais il vous reste encore beaucoup à découvrir. Vous aurez besoin de chercher des compléments de documentation. Voici quelques thèmes possibles :

- *Paris et ses monuments ;*
- *Paris et ses musées ;*
- *Paris vu par les peintres (Pissarro, Monet, Utrillo, Marquet…) ;*
- *Paris vu de la Seine…*

Formez des groupes en fonction des goûts et des intérêts de chacun.
Chaque groupe devra :

1 ▪ rechercher de la documentation sur le thème choisi ;

2 ▪ répartir les tâches à l'intérieur du groupe et organiser le travail. Chacun des membres recevra une tâche particulière : se documenter, écrire ou rendre visite aux services compétents (alliances françaises, instituts français, offices de tourisme…), choisir les éléments et les photos à utiliser, rédiger le texte, mettre en page…

3 ▪ présenter la plaquette à la classe : raisons du choix du thème et des éléments, étapes du travail…

UN BEAU MUSÉE

L'hôtel Salé, situé au cœur du Marais, est un bel édifice construit au XVIIᵉ siècle. Sa façade monumentale et son majestueux escalier intérieur en font un des plus beaux monuments de Paris. Aujourd'hui, il abrite la plus grande collection au monde des œuvres de Picasso. Le musée a ouvert ses portes en 1985 et on peut y admirer l'œuvre du maître présentée chronologiquement.

UN MONUMENT À L'ART, AU LUXE, AU PLAISIR

Charles Garnier, l'architecte chargé en 1858 par Napoléon III de construire un nouvel opéra, voulait édifier un « monument à l'art, au luxe, au plaisir ». Façade baroque, arcades, sculptures à l'extérieur, marbre, escalier majestueux, grands salons, salle de spectacle rouge et or à l'intérieur, tout contribue à faire de cette « cathédrale mondaine de la civilisation » (Théophile Gautier) un temple du luxe et du plaisir. Il a été reconverti en 1985 en palais de la Danse.

LE PARIS DES PEINTRES

Si Paris a inspiré de nombreux peintres, quelques noms resteront liés à jamais à ses rues, à ses quartiers, à ses monuments. Chacun a eu sa vision d'un Paris en constante évolution. Pour Pissarro (1830-1903), c'était les grands boulevards. Pour Marquet (1875-1947), Paris, c'est surtout la Seine.